D1578409

DE
STANK

BAVO DHOOGE

DE STANK

BAVO DHOOGE

ZILVERSPOOR

Omslagontwerp: Studio Zilverspoor
Foto omslag: Stokkete/shutterstock.com

Typografie: Studio Zilverspoor
Redactie: Thirza Meta

ISBN 978 94 9076 785 3
NUR 301

www.bavodhooge.be
www.boekenshowcase.nl

www.zilverspoor.com
info@zilverspoor.com
Facebook: zilverspoor67
Twitter: @Zilverspoor

1

DE STANK

"It stinks!"

De stank, die vanaf het bergpad in de hoge noordelijke vlakten kwam aangewaaid, was verrassend agressief. Hij passeerde hen niet, maar bleef hangen, wat het allemaal nog ondraaglijker maakte. Het was een zware walm die van de bergtop leek weg te glijden, een stuk rots als het ware, dat per ongeluk was losgekomen en een gevaarlijke lawine kon veroorzaken. Een kolkende stroom lava, een sluipschutter van vuur, die de bewoonde wereld in as kwam leggen.

Ze waren met zijn vieren, het team van vrijwilligers dat op zoek was gegaan naar de bergbeklimmer die nu al twee dagen vermist was. De lucht op de ijle vlakten had hen normaal naar het hoofd moeten stijgen en een duizeligheid moeten teweegbrengen die hen de adem zou afsnijden.

Maar in plaats daarvan maakte de zware walm het er warm, op het eerste gevoel zelfs behaaglijk en aangenaam. Een brandende haard, smeulend op zijn laatste krachten, in een kamer die al oververhit was. 'Een gezonde berglucht is anders,' zei een van hen.

Daarna hield men de mond, verborgen achter de dikke wollen sjaals en skimutsen, niet door gebrek aan zuurstof, maar omdat de stank niet te harden was en hun tanden een voor een afbrak. Het meest onheilspellend - werkelijk merkwaardig - was dat ze zelfs bijna op de hoogste top van de berg de geur niet achter zich konden laten. Een hardnekkige hekkensluiter, dat was het. Een mistgordijn dat bleef rondhangen. Zelfs de sneeuw leek erdoor aangetast: minder zacht, minder maagdelijk en minder mooi.

'Daar! Daar ligt hij!' riep een van hen.

Ze stapten naar de rand om een hap sneeuw te nemen en hun mond te spoelen met de ijskoude, frisse brok natuur. 'Kijk, dat is hem toch, neen?'

Ze zagen hem liggen, op een flank een paar meter lager. Het was de bergbeklimmer. Hij lag er in een hoogst merkwaardige houding, met het hoofd in zijn handen geborgen, het gezicht pal in de sneeuw, vol dramatiek. Een godsgeschenk dat letterlijk uit de hemel leek gevallen.

'Hij is dood,' zei iemand.

Ze stonden nu allemaal op een rij aan de afgrond en keken op hem neer. In stilte. De wind waaide matig, schuurde en fluisterde over de flanken; vogels of andere dieren waren niet te zien.

'Waar is al het leven hier?' vroeg een van hen. 'Het lijkt wel de maan of een onbekende planeet.'

Hij keek omhoog, naar de witte wolken in de blauwe zee van lucht. 'Zo doods ...'

Ze bleven daar nog een moment staan en brachten via de radio de reddingswerkers op de hoogte. Misschien bleven ze wel net zolang wachten om te zien wie van hen het eerst de vraag zou stellen: 'Wat is die stank in hemelsnaam? Komt die stank van *hem*?'

Maar niemand sprak. De stank was een virus dat door een loopgraaf in hun keel was geslopen en hen een hersenverlamming had bezorgd. Een van hen nam nog een foto: niet van de dode bergbeklimmer, maar van het hele tafereel, een *tableau vivant*. Misschien wilde hij er later op een andere manier op terugkijken. Zonder de stank. Die factor alvast uitgeschakeld. Zodat hij op een avond bij het haardvuur in de chalet dezelfde sneeuw zou zien, hetzelfde pad, dezelfde berg en dezelfde hemelse lucht, maar dan gezuiverd, ontdaan van de stank en ingekaderd. Een foto die in alle zuiverheid uit het zuurbad van chemicaliën zou verrijzen.

'Kom, we gaan,' zei een van hen.

Ze konden nu toch niets meer doen voor de dode bergbeklimmer. 'Zonde,' zei iemand nog toen ze al langs hetzelfde pad aan de afdaling begonnen waren. 'Wat een zonde dat het zo verkloot moet worden.'

Het was de halsstarrige aanwezigheid die hen niet langer deed nadenken waar de stank vandaan kwam. Er waren geen fabrieken, geen restaurants, geen wagens of andere mensen in de buurt, zelfs de dichtst gelegen chalet lag op meer dan twee kilometer verwijderd.

'Ik weet één ding,' zei de leider tegen de rest om er de moed in te houden. 'Ik ga straks een lekkere portie warme groentesoep en een Weense schnitzel bestellen om dit alles weg te spoelen.'

Maar niemand kon weten dat zelfs dat, na alle heisa, hen niet meer zou smaken. De smaak was vervangen door de stank.

De bergbeklimmer werd de volgende ochtend opgehaald met een helikopter. Volgens het rapport was hij overleden door de val, zoals zovele klimmers. De vraag bleef alleen waarom de man in die potsierlijke positie was teruggevonden, het gezicht in de sneeuw verborgen, een menselijke miereneter die zijn kop in het zand steekt, van plan om dwars door de aardbodem naar de andere kant van de wereld te staren. Zocht hij iets, zijn verstand bijvoorbeeld? Hij had misschien werkelijk een afdruk willen achterlaten, een print, een voetspoor, en nadien gewoon willen opstaan, om vervolgens tot het besef te komen dat hij was vastgelijmd of vastgevroren in de sneeuw.

Later kwam er nog een tweede rapport binnen waarin stond dat de betreurde niet door de val was gestorven, maar door iets anders. Hij had zijn twee benen en een paar ruggenwervels gebroken, maar het slachtoffer moest na de val zeker nog in leven zijn geweest. Men kon alleen maar gissen, maar men ging ervan uit dat de man zijn gezicht in de sneeuw had begraven en zo aan zijn eind was gekomen. Dood door verstikking. Door afwending van de stank? Ze probeerden het zich allemaal voor te stellen: dat een mens zo aan zijn eind moest komen, de horror, net voor de dood, om door zo'n monsterlijke voorbode te worden opgehaald. Uiteindelijk werd de stank hier en daar als volgt samengevat: een *atmosfeer* die tussen aarde en hemel circuleerde, een extra dimensie, onzichtbaar, maar niet voor diegenen die het fenomeen echt wilden zien.

'Misschien zag hij een sneeuwlawine op zich afkomen,' zei een van hen nog op de ochtend dat ze besloten om ondanks alles toch weer te gaan skiën.

Niemand stond er nog langer bij stil. Net zoals ze er ook niet bij stilstonden dat de skipiste die ochtend vrijwel volledig leeg was. De skiliften bleven werken, gleden naar boven en naar beneden, maar met onzichtbare, gesmolten spookklanten; de zitjes vochtig en troosteloos. Er waren zelfs geen sneeuwmannen meer. De kabelliften klauterden naar boven, maar waren niet bemand. De meeste mensen bleven in de chalets en in het restaurant waar de après-ski al van start was gegaan vanaf acht uur 's ochtends, vlak na het ontbijt, bij de brandende haard, met het vuur dat knetterde en zijn best deed om de stoorzender te doen vergeten. De mensen bleven binnen om te kaarten, een boek te lezen of te eten en drinken, ze zagen achter het raam dat er iets aan de hand was. Je kon de stank zien, werkelijk *zien*. Een invasie, zo omschreef een van de diensters het. Je zou het nooit kunnen zien aankomen; op een ochtend zou het daar gewoon zijn, ter plaatse voor het raam hangen en je uitdagen.

Het was een aanwezigheid, een ding dat de hele omgeving langzaam veranderde. Een verfstreek op een tableau vivant, een vlek die alsmaar verder leek uit te lopen tot ze misschien wel het hele schilderij zou bedekken.

In de verffabriek aan de rand van de stad bleven de plastic flessen aan een strak staccatotempo van de lopende band rollen, dag en nacht. Ze werden netjes per vierentwintig stuks ingepakt in kartonnen dozen die hun eigen specifieke geur hadden en daardoor tot leven leken te komen, een mengeling van plakkerige regen en vochtig rottend hout. N pakte zijn laatste lading van de nacht in. Hij was aan het eind van zijn shift gekomen, had hard doorgewerkt en kon niet wachten om naar huis te gaan. De nacht was zijn bewaker maar ook die werden soms op de wacht gezet.

In de kantine had hij de voorbije uren al een paar geruchten gehoord. Men sprak er niet over alledaagse zaken zoals het voetbal, de politiek of de culturele bewegingen, maar hij had er niet bij stilgestaan.

Het was *daar*, in de kleedkamer, dat N, vijfenvijftig jaar oud en vergeeld als overjaarse verf in een verroest blik, de geur aan zijn vingers opmerkte. Hij had zijn handen al gereinigd met de speciale gel die in de fabriek voorhanden was en uit een plastic flacon fonteingewijs als samengekoekte modder tevoorschijn kwam: een plakkerige vloeistof met grove korrel die aan zijn huid bleef kleven als nat zand. De gel schuurde en sneed soms zelfs in zijn poriën. Maar het werkte. Doorgaans. Nu, na twee wasbeurten, roken zijn handen nog steeds naar... iets anders. Op weg naar buiten, terwijl hij zijn kaart in de prikklok stak, vroeg hij aan een jongere collega die hem kwam aflossen: 'Heb jij soms iets gehoord over een of ander nieuw product?'

'Een nieuwe verfmachine, bedoel je?'

Het kon zijn dat de fabriek een nieuw staaltje uittestte. N werkte al meer dan dertig jaar in de verffabriek, zes dagen op zeven, en als er iemand de fabriekshal, de lopende monsterbanden, de dozen, de spuitbussen en de chemische troep kon plaatsen, was hij het wel. Hij had er, welja, een neus voor. Hij was er ooit gestart als loopjongen in de schoolvakanties en was er zo lang blijven hangen, tot het te laat was om nog te veranderen en hij besefte dat hij er niet meer weggeraakte. Hij was zonder het zelf te beseffen een even systematische aanwezigheid geworden als de prikklok, de machines, het geborgene van de indoorloods.

Maar dit kon hij níét plaatsen.

'Weet ik veel,' zei de collega. 'Er is misschien weer een ongeluk gebeurd dat ze voor ons willen verborgen houden. Zoals die keer, weet je nog, een jaar geleden toen die nieuwe machine explodeerde en die verf verbrandde. Weet je dat nog? Het rook er verdomme nog erger dan naar rotte eieren.'

Ja, misschien was het dat wel, dacht N. Hij zag het tafereel weer zo voor zich: de verfbus die voor een granaat doorging en in het gezicht van een kerel was geëxplodeerd. Een surrealistisch spektakel, met kwaadaardige stoffen die zo straf als mosterdgas waren dat de hele fabriek twee dagen lang ontruimd moest worden. Een soort omgekeerde holocaust waarbij de verdoemden zo snel mogelijk uit de loods werden begeleid, al dan niet rechtstreeks naar de douches.

Nu zou hij echter met of zonder stinkende vingers de slaap gaan vatten. Hij zag zijn collega het mondmaskertje opzetten - een wit nylon mondcondoom - en moest bijna lachen om de trivialiteit van de actie. Alsof dat hem zou kunnen beschermen, de idioot.

Op weg naar huis nam N zijn vaste route langs de haven omdat hij hield van de geur van het water en verse vis. Hij zag de vissers de vangst van de nacht binnenhalen: garnalen, mossels, krabben, witte vis. Maar meeuwen waren er niet. Alsof de geur van de vissen die normaal als lokaas diende voor de meeuwen verdwenen was. Vandaag geen vogels die achter een visserssloep aanvlogen, zoals honden achter een suikertje aanliepen. Het was ongewoon stil in de haven en zelfs de klotsende golven van het water waren in rouwstemming en bonkten bijna troosteloos en onnodig tegen de oevers en de kade aan. Met het hoofd naar de wolken gericht kwam N uiteindelijk later dan gewoonlijk thuis; hij waste zich, nam een bad en daarna een douche want hij kreeg de onbekende geur maar niet van zijn lichaam. Zijn moeder, allang gestorven in de vorige eeuw toen de wereld nog erger stonk naar één groot riool door de armoede en de teloorgang van het goed fatsoen, had hem ooit eens gezegd dat zeep en douchegel slecht voor de huid waren. Dus waste hij zich al jaren met warm water, dat doorgaans sterk genoeg was - wat een natuurelement: water dat de rots kon overwinnen! - om zich weer schoon en jong te voelen. N, nochtans een arbeider die maar tot zijn zestiende naar school was gegaan, had zelfs van zijn eigen zoon te horen gekregen dat men zich in de middeleeuwen en de Pruisentijd in paleizen zelfs helemaal níét waste, en dagenlang in dezelfde kleren rondliep. De vrouwen hadden genoeg aan hun poeder en hun parfum in alle geuren en kleuren om hun lijfgeur te verstoppen. De mannen versierden en besprenkelden zich met het zoetste poeder, hun eigen zweet.

Voor het eerst in zijn leven zocht N, onder de Romeinse inloopdouche met een muur van mozaïek, terwijl hij onder zijn oksels rook, een stuk zeep. Half onder de kraan, half uit de douchecabine, reikte hij naar het kastje waar hij alsnog een stuk zeep van de witte producten vond. Naamloos. Een neutrale, brave verdelger die hij dan ook gretig gebruikte. Toen hij uit de douche stapte, was hij ondertussen zo moe geworden dat het hem bijna niet meer kon schelen.

Gelaten vroeg hij aan zijn vrouw die net wakker was geworden en aan de ontbijttafel zat: 'Zeg, ik stink toch niet meer, hè?'

N's vrouw werkte vroeger ook 's nachts als schoonmaakster in kantoren, maar had zich opgewerkt tot een dagbaan. Ze keek hem niet eens aan toen ze zei: 'Weet ik veel, ik ben pas wakker. Mijn neus zit nog dicht. Je bent gewoon zenuwachtig voor vrijdag.'

Vrijdag zou hij immers te horen krijgen of hij al dan niet de promotie tot ploegbaas zou halen. Als het van hem afhing, bleef hij gewoon 's nachts aan de band staan. Hij hield wel van het nachtleven, het Hopperiaanse heil van de stilte en het ritme, maar het was zijn vrouw die hem had overtuigd om aan de sollicitatieproeven deel te nemen. Het was nog niet te laat. N was nog niet te oud, zo zei ze. Hij moest het proberen. Waarom wilde hij zich niet opwerken, van nachtraaf tot dagduif?

'Je weet hoezeer je zweet als je zenuwachtig bent.'

'Ik weet het,' zei N en hij was al op weg naar de slaapkamer om de gordijnen alweer te sluiten die zijn vrouw net had opengetrokken. De gordijnen die in dat huis een dubbel leven leidden en geen vat op de tijd hadden.

'Het zal wel de geur van die kakfabriek zijn die ik elke dag mee naar huis neem.'

Het was eigenlijk de avond ervoor al begonnen toen N, voor zijn vertrek naar de fabriek, een lekkere paëllaschotel in elkaar had gebokst. Hij had het gerecht al zoveel keren eerder klaargemaakt; laten we eerlijk zijn: hij was er een meester in, de chef. De paëlla was ook het gerecht dat hij zou klaarmaken voor de Anderen. Als hobbykok liet hij geregeld collega's overkomen om zijn kookkunsten te laten proeven. En als er één gerecht was dat hij als de beste kon klaarmaken, was het wel paëlla. Die avond had hij voor deze laatste testversie hetzelfde eeuwenoude recept van zijn moeder gebruikt met dezelfde verse ingrediënten die hij die namiddag in de supermarkt was gaan halen. Hij had alles in dezelfde kommen en pannen gegoten en opgediend in dezelfde schotel die al drie generaties in zijn familie de ronde ging.

En toch.

En toch was de paëlla anders. Meer nog, terwijl hij zijn vrouw met smaak zag eten, kon N die avond geen hap door zijn keel krijgen. Weerzin. Dat kreeg hij ervan.

'Wat scheelt er?' vroeg ze hem. 'Wil je het meenemen voor straks in de fabriek? Heb je geen honger?'

'Ik heb geen zin,' zei N, want honger had hij wel degelijk. Hij had zelfs de gewoonte om zich voor zijn shift vol te stoppen en er dan met volle kracht tegenaan te gaan. Maar nu ging er niets in en kwam er alleen maar uit: 'Het smaakt me niet.'

Hij zat erbij en keek ernaar. Hij begreep er niets van. Voor hij aan de paëlla was begonnen, had hij er flink zin in gehad. Doorgaans liet hij zich tijdens het proces van het koken verleiden en in de stemming komen door zijn eigen enthousiasme - het extra ingrediënt dat in geen enkel kookboek stond, maar wel garant stond voor dat zekere *je ne sais quoi* - maar nu zat hij ernaar te staren alsof het een bord stront was.

'Zenuwen, he,' zei zijn vrouw weer. 'Ik wist het.'

N besloot zijn bord paëlla voor later te bewaren en stopte het in de diepvriezer, met als officiële mededeling:

'Ik zal het bewaren voor vrijdag. Als we iets te vieren hebben.'

Die nacht sliep hij zo vast dat hij niet meer nadacht over de stank aan zijn vingers. De stank die langzaam aan de rest van zijn lichaam in beslag nam, over zijn armen, benen en gelaat sloop, en zich door en in alle openingen wrong, van zijn oren tot zijn neusgaten en zelfs onder zijn oogleden, als een nest minuscule spinnetjes die zich hadden gesetteld onder de huid van een mens.

Het planten van een zaadje dat ooit zou uitkomen en een nieuw soort leven zou vertegenwoordigen.

De schilderijen waar K zich dag in dag uit in haar kleine atypische atelier langs de grachten aan wijdde, waren niet zomaar schilderijen, maar *ervaringen*. Ze gebruikte al een jaar geen stofdoek of canvas meer in de kamer die zij alleen zag als haar eigen Parijselijk paradijs of paradijselijk Parijs, maar gebruikte alles wat ze kon vinden op de schroothoop en het containerpark, van verroeste golfplaten tot beschimmelde douchegordijnen. Wat tot stand kwam, werd pas duidelijk als het werk af was, maar aangezien het nooit echt 'af' was, bleef het meestal bij gissen en was het altijd voor interpretatie vatbaar. Al waren er mensen die in de abstracte gasvormige doembeelden vooral op hol geslagen natuurelementen vonden op de dag des oordeels zoals orkanen, stormen, twisters, tornado's en andere rampen. Een tweede Turner werd ze hier en daar in een obscuur kunsttijdschrift genoemd, maar in haar hoofd klonk het als een tweederangse Turner want haar laatste expositie dateerde al van drie jaar geleden en echt doorgebroken was ze niet, voor zover een echte kunstenaar kan doorbreken bij het grote publiek zonder zichzelf te verraden. Een onzichtbaar gordijn leek haar succes tegen te houden, als bescherming, een waas die als barrière diende.

K schilderde van binnenuit: de orkanen raasden ook door haar organen, haar hart en de rest van haar lichaam, zich snel en vurig door haar aderen een weg naar de uitgang zoekend. Vaak voelde ze zich een vulkaan die op uitbarsten stond, maar vooralsnog in 'slaap' was. Eén keer dacht ze, neen, wist ze dat ze niet meer was dan een hoopje as dat smeulend lag te slapen, zonder ooit een vulkaan te zijn geweest.

'Wie schildert moet *helemaal* schilderen,' liet ze zich elke keer ontvallen wanneer ze overdag voor haar studenten in de klas stond. Maar ook: 'Het is niet anders dan honderd jaar geleden. Zwarte sneeuw zal ook jullie lot zijn, zeker vandaag. Dit is het tijdperk waar de echte kunstenaars zullen verdwijnen in de massa van amateurs en de amateurs zich zullen mengen onder de kunstenaars. De crisis heeft voor iedereen wat wils. Iedereen doet zijn ding maar het platform is een gigantisch bord geworden, en alleen de ware kunstenaars zullen overeind blijven door er net niet hun brood mee te kunnen verdienen. De verliezers zullen de winnaars zijn.'

Nog nooit had ze in haar leven een dossier ingediend om subsidies te krijgen; dan ging ze nog liever lesgeven in de kunstacademie om de boosaardige boodschap door te geven. De boodschap die zij zelf in haar werk legde, was helder: ze was weldra over haar hoogtepunt heen. De orkanen werden steeds donkerder, onheilspellender, het einde van de wereld was in zicht zoals de Maya's hadden voorspeld. De stormen waren geen occasionele stoorzenders meer die zomaar passeerden, maar namen steeds meer oppervlakte in en vormden een grote rookwolk na een gigantische brandhaard. De wereld stond in brand, háár wereld stond in brand, maar na meer dan veertig jaar overleven en geforceerde levensvreugde, was het vuur verworden tot een hoopje as.

De avond dat de stank bij K binnenkwam, legde ze de laatste hand aan de voorbereiding van haar vernissage. Ze zou een reeks werken tentoonstellen waarbij ze voor het eerst had gewerkt met as in plaats van met verf. As als houtskool. Onder de witte schildersjas of kiel - zoals ze het ding graag noemde om zich wat meer aanzien en geloofwaardigheid te geven - zweette ze hevig van inspiratie en transpiratie.

Nu alles aan de muur hing, nam ze afstand. En *zag* de stank.

'Het stinkt hier naar het putje,' zei ze over de telefoon toen ze haar zus belde, wier man drukker was en voor de uitnodigingen had gezorgd. 'Dat moet mij net nu weer overkomen. Ik zweer het, ik denk dat ik verdoemd ben.'

'Ach, hou op, de mensen komen voor je werk. Ze komen om te zien, niet te ruiken. Het zal wel meevallen. Ze zullen het niet eens merken; een mens kan zich meestal maar concentreren op één zintuiglijke waarneming tegelijk. Tenzij het een blinde stakkerd is die je schilderijen wil ruiken en voor de opgedroogde verf is gekomen.'

Maar het viel niet mee, bedacht K. Ze wist dat ze de reputatie had om alles te overdramatiseren en heel donker voor te stellen, maar dit was anders.

'Heb je misschien met andere materie gewerkt?' vroeg haar zus. 'Een mengeling van stofvlokken, huismijt, as en lijm,' zei ze terwijl ze het laatste werk, het *pièce de résistance* vanaf afstand bekeek. "Reptiel der rusteloosheid" heette het ding. Eigenlijk was het niets meer dan één groot, donker zwart gat waarin ze zelf wilde verdwijnen. De alles opslorpende mond van een gigantisch tandeloos monster dat haar op slag zou verlossen van al haar problemen en zonden. De olieverf, de acryl en de bussen graffiti hadden terrein moeten prijsgeven en stonden nu als gestrafte schooljongens in de hoek. Leeggespoten en opgesoupeerd. Ze hadden niet voldoende gepresteerd, waren te duidelijk en expliciet geweest in hun contouren. Ze zocht immers haar hele leven al naar een driedimensionale poort tot haar werk. Een ingang naar het avontuur van haar eigen ziel. Een denkbeeldige muur die ze moest doorbreken.

'Dat zal het dan wel zijn, zeker,' zei haar zus. 'Een slechte combinatie van chemische stoffen. Pas maar op dat het niet explodeert als je de lont aansteekt,' grapte ze. 'Een kunstwerk dat door ontploffing tot leven zou komen. Misschien moet je overgaan tot performances.'

Maar de stank bleef haar parten spelen. Ze verwachtte sowieso niet veel volk, al had ze de hele stad bijna aangeschreven met folders die midden in de nacht als geheime boodschappen van verzetsgroepen in de bus werden gedropt. Wat als het hier straks in het atelier nog erger zou stinken dan in het riool?

'Je kan het ook zo zien,' probeerde haar zus er een voordeel van te maken. 'Het kan ook *passen* in het hele opzet. De schilderijen die de ondergang van de wereld representeren en die op die manier ook afstralen op de omgeving. Een soort reuksoundtrack…'

Maar de waarheid was dat de stank de laatste druppel was. Het was een voorteken, een signaal, een vervloeking die K interpreteerde als een groot stopteken, een verbodsbord met een streep door. 'Het zal allemaal wel weer een maat voor niks zijn,' zei ze troosteloos tegen haar zus. 'Er zal geen kat komen opdagen en ik zal hier als enige achterblijven in de shit. Zo ruikt het hier toch.'

'Kom op, het zal wel meevallen. Ik wou dat ik erbij kon zijn, maar je weet dat we dit weekend aan de kust zitten. Had ik het wat vroeger geweten…'

Na het gesprek maakte K zich op om inkopen te doen voor de receptie die ze zelf zou betalen. Ze zou de hors d'oeuvres maken voor de Anderen.

En de vernissage was daarvoor de perfecte repetitie. Een combinatie van vispastei en ganzenlever. Gedurfde samenstellingen, op het chemische af, die haar zin voor anarchie zouden tentoonstellen.

Daarna was het op naar de academie waar haar studenten zaten te popelen om haar uitnodiging op het prikbord in de gang te besmeuren met gezichtjes en bliksemschichten, als wraak voor de negatieve spiraal en teneur die Juffrouw K, mislukte en gefrustreerde lerares schilderkunst, verspreidde. Wie was zij om de jongeren, de belofevolle nieuwe lichting, te besmetten met haar moedeloosheid en cynisme, en al zeker in een tijd die smeekte om een nieuwe lichting Romantici of Positivisten?

Voor ze de deur van haar atelier achter zich dichttrok, keek ze nog één keer naar haar kinderen: het dozijn werken aan de muur, de verdoken en opgehemelde spotprenten die geen echte kinderen hadden geduld. Ook in dat opzicht was K over haar hoogtepunt heen; de klok tikte niet meer, het alarm was allang afgegaan. Ze had op twee paarden gewed en had dubbel verloren, maar: *no pain no gain*. Ze herkende de werken bijna niet meer, alsof een ander ze had gemaakt, want het enige wat haar bezighield, en tegenhield om uit te kijken naar de vernissage, was de pregnante stank.

Voor het eerst in haar leven liet ze deze wereld achter zich, niet vol walging van haar eigen werk

dat haar demonen en angsten vertegenwoordigde, maar van een ander aspect; de stank die als
een strenge en genadeloze criticus haar werk nu
al met de grond gelijkmaakte, neersabelde omdat
het nooit de echtheid, de grauwheid en de essen-
tie kon benaderen van wat de gekunstelde kunstenares wilde bereiken. De stank, die zichzelf
presenteerde als voorbeeld, zoals het zou moeten
zijn, het vleesgeworden venijn dat het leven, en
vooral K's leven, samenvatte. In een notendop, of
beter, een afgebeten vingernagel.

De gangen van het stedelijk ziekenhuis waren
als vanouds doordrongen van de pregnante geur
van ziekte en dood, maar ook van hoop en meer
ordinaire symptomen zoals het dagelijkse twee-
derangsvoedsel dat driemaal per dag werd geserveerd, meestal op vroegere tijdstippen dan thuis.
S opende de ogen in het donker van het hokje waar
ze deze nacht eerder terloops sinds tien uur van
de vorige avond, de slaap had proberen vatten. Ze
had de nachtshift gehad en de langste hap slaap
die ze te pakken had gekregen, was een blok van
hooguit twee uur, voor een verpleegster haar was
komen wekken om haar te vertellen dat de jonge moeder in kamer veertien niet goed reageerde
op de keizersnede die ze had moeten ondergaan.
Zoals steeds was het bedrukt en benauwd in het

kamertje. S voelde zich als de vrouwelijke variant van een visser in de kajuit van een boot, met het hele ziekenhuis dat heen en weer dobberde.

Pas toen ze het hok had verlaten en de gang inliep, werd ze *wakker* door de stank. Ze keek om zich heen en zag dat de wereld op gang was gekomen. Verpleegsters - butlers en dienstmeiden van de Nieuwe Tijd op witte klompen - liepen in en uit kamers met dienborden vol ontbijt, dokters walsten de operatiekwartieren in en uit, secretaressen aan de balie losten elkaar af, en patiënten zaten al braaf als knuffelbeesten tegen elkaar in de spoedafdeling te wachten op een behandeling.

'Wat is er aan de hand?' vroeg ze aan een verpleegster. 'Wat wordt er als ontbijt opgediend?'

Op het menu stonden citroenyoghurt, boterhammen van multigranenbrood met confituur en een appel, samen met verse groene thee.

'Ik dacht dat ik eieren rook,' zei ze. 'Rotte eieren. Maar ik zal wel gedroomd hebben.'

Op haar zoektocht naar de oorsprong, de monding van de stankrivier, doorliep ze de hoofdgang en week af en toe uit naar de grachten en kanaaltjes waarin de patiënten zaten. De ziekenhuisgeur die ze al jaren gewend was, leek verdwenen en vervangen door iets anders. Straks zou ze die welbepaalde verzameling van menselijke microben nog missen.

'Ruik je dat niet?' vroeg ze aan een andere verpleegster, maar deze werd alweer aangeklampt door een oude vrouw aan een infuus die haar kamer had verlaten. De stank ging zo te zien aan iedereen voorbij, net zoals men ook niet te lang stilstond bij een in memoriam in de krant.

Zombiegewijs liep S verder de gang af, op zoek naar een verse kop koffie. Al was dat slap oplosspul uit de automaat niet te slikken zonder erin te stikken, toch had ze het gevoel dat ze de stank daarmee in één teug kon wegspoelen. Voor de zekerheid rook ze aan het bekertje dat langzaam maar secuur - bijna plechtig - werd gevuld door de machine.

Wat was die geur? Het deed haar denken aan een nog zwaardere lucht dan die typische halfbakken mengeling van oude, verdorven en zieke mensen, zweetvoeten en slecht eten. Was het gangreen of een nieuwe ziekenhuisbacterie, wie zou het zeggen?

Het maakte haar zo nieuwsgierig dat ze alle gangen van de afdeling afliep en bleef staan bij een brancard, wachtend om het witte laken weg te trekken en een man of vrouw aan te treffen die het einde van de nacht niet had gehaald. Ze stapte naar de receptie en vroeg of er deze nacht niemand was overleden.

'Neen, dokter,' kreeg ze te horen. 'We hadden twee patiënten die aan een zijden draadje hingen. Een van hen ligt nog op intensieve zorgen, maar is buiten levensgevaar. De andere, een jongeman die een verkeersongeluk had, ligt nog steeds in coma.'

'Maar er is dus niemand gestorven?'

Want de stank leek verdacht veel op het deodorant dat de dood droeg, nog erger dan die van de ziekte, verderf of de ondergang. Het was niet zomaar een stank, maar een statement dat definitief leek, voor zover dat kon, dat niets meer achterliet, dat komaf had gemaakt met al de rest. Een bijna abstracte vorm van afscheid.

Voor alle zekerheid glipte S het operatiekwartier van de dienst materniteit binnen waar ze vannacht twee spoedoperaties had uitgevoerd: een stuitligging en een keizersnede. Maar zoals steeds had het ziekenhuis zijn werk gedaan. Alles was netjes gesteriliseerd, de latex handschoenen waren in de vuilnisbak gekieperd, de tafels en instrumenten ontsmet en zo had de hele zaal weer de koele moderniteit van een ruimteschip. Het metaal blonk, zoals nieuwe keukenapparaten ook in de toonzalen stonden te fonkelen, alsof ze nooit waren gebruikt en ook nooit zouden gebruikt worden.

'Zoekt u iets, dokter?' vroeg een vroedvrouw.

'Neen,' zei S de ruimte nog een laatste keer onderzoekend. 'Ik dacht dat ik iets vergeten was, maar ik was verkeerd.'

Ze wachtte tot de vroedvrouw over de geur zou beginnen, nog straffer dan de slechte oploskoffie en nog alarmerender dan de luidste wekker. Maar de microkosmos van het ziekenhuis was een biotoop die niet stilstond bij een dergelijk futiel detail.

'Ik ga maar eens naar huis,' zei ze. 'Het was een lange wacht vannacht. Ik heb dringend wat slaap nodig.'

Ze trok haar kiel, haar zachte harnas, uit en hing het in haar kleedhokje. Op het parkeerterrein sloeg ze af naar de andere vleugel, die van de revalidatieafdeling waar haar moeder een week geleden was opgenomen met de ziekte van Alzheimer. Ze vond haar in bed gelegen, en was bijna blij en opgelucht toen ze door de nieuwe stank door, vaagweg de oude bloemkoollucht van haar eigen jeugd herkende.

'Goeiemorgen,' zei ze zo frivool mogelijk. 'Heb je goed geslapen?'

'Ik wel, maar jij ziet eruit alsof je helemaal geen slaap hebt gehad.'

'Een zware nacht,' zei S. 'Ik heb bijna geen oog dichtgedaan.'

'Wat wil je?' zei haar moeder. 'Als je de miserie opzoekt.'

'Wat wil dat zeggen?'

'Komaan, ik weet dat je deze nacht geen dienst had.'

'Wat? Waarom zou ik hier dan blijven slapen?'

'Weet ik veel, zeg jij het me maar eens.'

Haar moeder lag haar streng aan te staren, het gezicht nog scherper en afgelijnder dan gewoonlijk, niet alleen door de medicatie en de wetenschap dat op haar vierenzeventigste de dagen steeds sneller leken te gaan, maar vooral omdat ze wist waarom haar dochter zich keer op keer de afgelopen maand vrijwillig had aangemeld om de nachtdienst te doen.

'Het gaat weer niet goed, hè?'

'Ik doe mijn werk,' hield S vol. 'Het is mijn werk. Het is hier altijd druk, ik voel me schuldig als ik hier niet ben.'

'Onzin, het is je huwelijk dat je in de steek laat door hier in dat kot te kruipen. Je laat uitschijnen dat je de mensen hier wilt helpen en dat je onvervangbaar bent, maar we weten allebei dat je dat niet bent en dat je eerst beter jezelf redt. En dat zal je niet van hieruit kunnen doen.'

S wilde over de stank beginnen en haar moeder vragen of ze het ook rook. Het kon toch niet dat de stank één grote gom was die alle herinneringen aan hemelse geuren uit haar verleden zomaar had weggeveegd? Maar de gedachte aan haar echtgenoot bleef in haar achterhoofd hangen. Hij stonk ook, figuurlijk dan. Ze haatte zichzelf erom want ze wist dat het niet hoorde en dat ze verkeerd was, maar ze kon hem de laatste tijd niet langer uitstaan. Haar moeder had gelijk: ze vluchtte weg in haar werk, verstopte zich in het kot - het cachot - waar ze zich behaaglijk in zelfmedelijden worstelde, het deken van de onschuld en zelfbeklag over zich heen trok, in een ruimte de grootte van een cel, donker en alleen, met iets verderop zieke mensen die op sterven lagen of in coma, niet wetende waar ze heen gingen.

'Wat is het probleem?' vroeg haar moeder door. 'Wat is daar aan de hand met jullie?'

'Niets. Hij doet me gewoon te veel denken aan papa,' zei S.

'Het is een man, alle mannen lijken op elkaar, dat weten we toch allemaal? Voor alle honderd vrouwen is er slechts één man. Eén prototype. Waarom doet hij je aan hem denken?'

S zette het raam open, een triviaal en naïef gebaar alsof ze daarmee de stank kon buitenjagen. Hij deed haar aan haar vader denken omdat die ook altijd te luchtig door het leven ging. Ook hij had van schouders ophalen zijn hobby gemaakt, ook hij nam niets serieus. Ze besefte wel dat haar echtgenoot een tegengewicht probeerde te vormen voor alle miserie waar ze dag in dag uit mee werd geconfronteerd. Want wat wilde ze immers? Thuiskomen bij een donkere doordenker die ook nog eens ging zitten grienen over de onrechtvaardigheid en zinloosheid van het bestaan wanneer een echtpaar weer maar eens een foetus of een baby had verloren, of gebukt ging onder een hazenlip of het Down Syndroom? Neen, beter was toch een tegenpool te vinden die haar geruststelde dat er ook nog een andere wereld was: die van het kleine, van het detail, van de momentopname. Een man die S wees op het geluk dat haar te beurt viel telkens als ze een baby op de wereld zette, zodat ze zich kon hullen in de frisse geur van de onschuld die rond de pasgeborene hing. Maar zelfs dat - hoe gruwelijk om het te moeten toegeven - was niet meer dan routine geworden. Niet alleen de baby's, met hun bevende kinnetjes en hun stekelige vingers en teentjes, leken allemaal op elkaar, ook de levens die hen te wachten stonden. Prototypes. Haar man speelde met graagte en met verve de rol van de droefgeestige clown - de ontsnapte Cliniclown die aan huis kwam - die haar geruststelde dat het allemaal niet zo erg was. Wel, het was wél erg. En de laatste tijd werkte hij haar zo veel op de zenuwen dat ze hem was ontvlucht. Want ook haar eigen vader vond het allemaal niet zo erg: zelfs toen haar moeder werd opgenomen omdat ze drie dagen lang de dingen opeens niet meer kon benoemen - een bruuske black-out - verloor hij zichzelf in het huishouden. Iemand moest de boel zogezegd draaiende houden en hij kon toch niet de hele dag lang aan een ziekenhuisbed blijven zitten?

'Hoeveel keer is hij je al komen opzoeken?'

'Wie? Je vader?'

'Ja, hij springt binnen en blijft net lang genoeg om de planten water te geven.'

'Je weet hoe hij is,' zei haar moeder die hem alsmaar verdedigde. 'Hij haat het hier. Hij vindt het verstikkend.'

'Hij vindt altijd wel een excuus,' zei S en ze dacht erbij: als hij hier vandaag zat, zou hij gegarandeerd over de stank beginnen. De stank als excuus inroepen om niet langer dan vijf minuten te blijven staan aan het ziekbed van de vrouw met wie hij vijftig jaar had samengeleefd. Niet zij was de jaren vergeten, hij had het verticaal geklasseerd.

Haar moeder zei: 'Hoeveel keer heb jij hier deze week geslapen? Ik kan je dezelfde vraag stellen.'

'Ik ben niet ziek,' zei S. 'In tegenstelling tot jij.'

'Neen, maar je huwelijk wel, liefje. Je gaat toch nog eens langs vandaag om te zien of hij wel boodschappen heeft gedaan en iets heeft gegeten?'

'Het is de omgekeerde wereld,' zei S en ze stond boos op, gaf haar moeder een kus op haar voorhoofd. 'Als je dat maar weet. Hij verdient je niet.'

Als het zo verder ging, zou ze ze allebei grondig gaan haten, de man die haar had verwekt en de man met wie ze diende samen te leven en die bij haar een zoon had verwekt. Was het dan toch waar dat een vrouw in een man haar vader zocht?

'Als ik straks naar huis ga, waar vind ik dan dat recept van grootmoeder voor witloofsoep?'

Chantage was het: zij wilde gerust langsgaan bij haar vader als ze maar dat recept kreeg dat ze nodig had om de soep te maken voor de Anderen.

Ze sloot zachtjes de deur achter zich en stapte de gang in naar de uitgang, in steeds snellere pas, alsof ze nu ook zo snel mogelijk de stank achter zich wilde laten. Misschien, zo was haar laatste gedachte toen ze het parkeerterrein opliep en in haar wagen kroop, was de stank wel de voorbode voor een nieuwe medische ontdekking. Het was een stelling waaraan ze zich kon optrekken, het idee dat elke tegenslag ook een uitdaging was, om nader te onderzoeken. De andere kant van de medaille waarop de koninklijke kop van de hoop stond afgebeeld. Een wetenschapper stond immers vaak niet meer stil bij de *collateral damage* van een virus of ziekte. Het ebola- of het aidsvirus waren in die zin zelfs zekerheden waar niet naast te kijken viel. Je kon het die virussen niet kwalijk nemen dat ze bestonden, het was de natuur, maar de mens die er niet tegen opgewassen was, dat was een andere zaak. Concrete redenen om aan de slag te gaan in de laboratoria, met biologen die daardoor een doel voor ogen hadden. De uitdaging om het gezicht, het DNA van het onbekende, van de onduidelijke oorsprong te kennen. De demystificatie.

S had de stank achter zich gelaten en zette de radio aan waarop heel toevallig '*Smells like teen spirit*' van Nirvana te horen was. Maakte ze er zich nu al te makkelijk van af door voor de witloofsoep van haar grootmoeder te kiezen? Maar waarom iets nieuws uitvinden als er al zoiets unieks bestond? Warm water was al uitgevonden, en dat gold ook voor warme witloofsoep.

Toen ze voor de dubbele garage van haar villa in de buitenwijk parkeerde, had ze het achter zich gelaten. Haar laatste gedachte was de verpersoon-lijking van de stank. Als ze die een gezicht wilde geven, kwam ze onvermijdelijk uit bij dat van een of ander kadaver dat in een kuil in de tuin was opgegraven door haar huiskat; het kadaver, half verteerd, half overwonnen door de wormen, met nog slechts een paar poten, een kop, zonder een aard te hebben, een hoopje zoogdier, dat eigenlijk ook het lijk van een rottende baby kon zijn.

Aan het eind van een van de laatste echt hete septemberdagen van de *Indian Summer* werden computers, faxmachines en telefoons uitgezet op het kantoor van de centrale vesting van de bank. A, de jonge cijferanalist, hield het een halfuur eerder voor bekeken en kon niet snel genoeg uit het kantoor naar huis razen in zijn fonkelnieuwe bedrijfswagen, een BMW Serie Zes, die hij van de bank kon leasen, en zich omkleden om te beginnen aan zijn dagelijkse training voor de marathon die hij in New York zou lopen. Na vijf jaar de beurs analyseren, succesvol klantenprofielen opstellen en mensen indelen in defensieve en agressieve beleggers, de juiste korte en lange termijnrekeningen uitkiezen, kon A met een gerust hart verklaren, desnoods onder ede, dat, ondanks de crisis, zijn koers en curve er stabiel uitzagen. Meer nog, hij stond er zelfs niet meer bij stil, bij de bonussen. Hij zat in de cockpit en vloog op automatische piloot door het leven, hoog boven de wolken. Hij was de kapitein die ondanks alle stormen het vliegtuig altijd wel weer kon landen en ervoor kon zorgen dat na een noodlanding de mensen zaten te applaudisseren, zonder te weten dat het eigenlijk in de eerste plaats zijn fout was geweest waardoor ze bijna waren gecrasht. Als enig kind was het voor hem zelfs niet nodig om in de banksector te gaan werken: de erfenis was al geregeld, om de vervelende successierechten te vermijden, en als hij wilde, kon A nu al gaan rentenieren of op pensioen gaan. Hij kon zijn leven als een beursgenoteerd bedrijf laten meedraaien in de draaimolen, winst omzetten in weelde, zonder er zijn broek aan te scheuren. Niets maakt zo snel geld als geld.

'Stop je er nu al mee?' vroeg een collega die de cijfers van de Nasdaq nog nauwlettend in het oog hield. 'Laat me raden. Het is zover. Je hebt een telefoontje van het ziekenhuis gehad. Ze staat op het punt om te bevallen en jij moest eigenlijk allang in het ziekenhuis staan, ware het niet dat je nog snel een deal moest sluiten, niet?'

'Er is nog altijd geen opening,' zei A en met dat woord bedoelde hij voor één keer niet een kans, een gat, een opportuniteit. 'Maak je geen zorgen. Het is mooi weer. Een van de laatste mooie nazomerdagen. Ik ga ervan profiteren en ga nog wat rondjes lopen.'

'Wanneer loop je die marathon nu weer?'

'Volgende maand,' zei hij. 'In New York. Het is de Marathon van New York.'

Dat verkondigde hij graag. Marathon, met hoofdletter. Hij was er trots op dat hij kon meelopen door de statige, strenge straten van de grootstad over de oceaan, als een personage in een actiefilm. Tijdens de middagpauze, in de kantine van de bank, proclameerde hij het meermaals met de tongval van een Romeinse boodschapper, een of twee keer zelfs met de nodige begeleidende armbeweging, bij wijze van spreken de maat slaand. Het maakte niet uit of hij de marathon zou uitlopen, het belangrijkste was dat hij erbij zou zijn, samen met de tienduizenden anderen die zich maandenlang hadden voorbereid op een wedstrijd die geen wedstrijd was, of het zou een strijd tegen zijn eigen beperkingen moeten zijn. Meer nog: het was zowat het enige waarbij A zijn hart nog echt voelde kloppen. Het was de koploper van zijn gedachten. Al de rest was routine geworden, dagelijkse kost, even voorspelbaar als de lijn van een betrouwbaar aandeel of een doodlopende straat. Al was het bij hem geen dalende lijn, maar een flatline.

'Wanneer gaat je vrouw dan binnen?' vroeg de collega met een oog op het computerscherm en het andere op het beurskanaal. 'Straks stuurt ze alles nog in de war en mag je hier blijven. Als ze het nog een maandje rekt.'

'Dat zit er niet in,' lachte A gemaakt. 'Ik heb me speciaal aan de planning gehouden. Dan moet zij dat ook maar doen, desnoods trek ik die baby er zelf uit.'

Hij sloot alles af en stopte de paperassen in zijn aktentas. Het was zijn vierde kind en het maakte zelfs niet uit of het een dochter of een zoon werd. Als hij eerlijk was, kon het hem zelfs niets schelen. Zoals hij zijn klanten ook vaak aanraadde om hun beleggingen en kasbonnen te spreiden in een brede portefeuille zodat ze in tijdens van crisis nooit voor verrassingen zouden komen te staan, zo had hij ook zijn geluk verdeeld over de vijf hoofden van zijn gezin.

Volgeladen met zijn iBord, iPad, iPod, iPhone en iMacbook verliet de geladen ezel A het kantoor en zo had hij ook officieel op die manier zijn eigen brein losgekoppeld en afgesloten.

Na vijf uur was het alleen nog maar zijn lichaam dat de baas was en de bovenhand nam. Hij deed het ook letterlijk: sloot zijn lichaam aan elektroden aan, zette zijn stepmeter aan, schakelde zijn polshorloge aan dat hem op gelijk welk moment kon vertellen waar en wanneer hij liep, met welke snelheid en over welke afstand. De hartslagmeter noteerde de staat van zijn lichaam, het verbruik van de vetstoffen en de koolhydraten, en de satellieten in de lucht konden alle informatie draadloos doorsturen naar de i-apparaten die daarna alles zouden absorberen en verwerken, als een oercomputer, vooraleer de data de wereld zouden worden ingestuurd, op de diverse podia van de sociale media. De mens, als uithangbord op het sociaal platform.

'Heb je eigenlijk al een naam?' hadden ze hem tijdens de lunch gevraagd.

'Ja, natuurlijk, we hebben er twee. We zien wel wat er komt.'

Maar zelfs dan kon hij alleen maar denken aan de afstand, het ritme, het tempo, de verzuring, de suikers in zijn lichaam die in de marathon een eigen weg zouden gaan. Het zou zijn veertiende wedstrijd worden, de eerste keer in New York, en de voorbereiding was niet mals. Hij had zich laten bijstaan door een professional, die hem een schema had doorgespeeld waarop hij zich kon baseren om te weten hoe ver en hoe diep hij mocht gaan. Niet te pril pieken. Opbouwen was de boodschap. Een beetje zoals in de beurs: niet te steil en niet te direct in het begin, maar geleidelijk aan naar een hoogtepunt werken, dat was het beste. Bovenal had A het gevoel dat hij die marathon móést lopen en er desnoods bij doodvallen, voor hij verder kon gaan met zijn leven. Het was het enige dat hem nog zin gaf. Met het zoveelste nieuwe leven op komst, moest hij bij wijze van spreken zichzelf bewijzen, verantwoorden.

'Ik hoop dat die stank tegen morgenochtend weg is,' zei hij als afscheid tegen de collega. 'Wat hebben ze gezegd over de airco? Komen ze die straks nog maken?'

'De airco is kapot,' kreeg hij te horen.

'Ja? Dan zal het dat wel zijn,' besloot hij. Hij rook onder zijn oksels. 'Ik zweet nu al, en ik loop nog niet eens.'

De robot die opportuniteiten zag in de criminele crisis, stapte bij zijn aankomst uit zijn wagen en een moment later kwam een andere man uit zijn villa gelopen. Onherkenbaar bijna, in zijn nauwsluitend synthetisch pak en een zonnebril met fluorescerende randen.

'Ik moet er even uit, schat,' had hij tegen zijn vrouw gezegd. 'Het was vandaag niet te doen op kantoor. Het stonk er als de pest. De airco was kapot en je weet hoe de stress daar heerst als ze een paar punten verlies noteren.'

Zo was hij onderweg naar de horizon en probeerde zijn ademhaling onder controle te houden. Zoals steeds kostte het hem behoorlijk wat moeite om op gang te komen en zijn ritme te vinden, maar toen dat mirakel zich voltrok, liep hij een stuk vlotter en soepeler en dacht hij niet meer na over cijfers, computers en crashes. Hij liet de endorfines hun werk doen, liet zijn hersenen ontdooien of bevriezen, het was maar hoe je het bekeek, en na een kwartier zat hij op kruissnelheid. Op cruisecontrol, alweer, zoals hij ook op de snelweg zijn BMW liet doorrazen. Hij nam steeds dezelfde weg, maar toch was er iets veranderd in de brave buitenwijken. Toen hij langs de verdoken spoorlijn en langs de serres van de bloemisterij liep, kwam hem weer een verschrikkelijke stank tegemoet. Insecticiden, dacht hij, zijn lippen weerbarstig tegen elkaar geplet. Maar toen hij de spoorweg achter zich had gelaten en een andere straat was ingeslagen, op weg naar het sportplein en de bibliotheek, bleef de stank hem achtervolgen. Op de huid, de stok die een estafetteloper hem wilde doorgeven, maar waar hij maar bleef van weglopen. Wat gek. Het leek wel op de stank die ook in het kantoor had gehangen. Om de een of andere reden had A het gevoel, de drang, om steeds sneller te lopen. Alsof hij zich moest bewijzen en alsof hij de geur van zich moest afschudden, als was hij de koploper die een spookachtige achtervolger, naamloos en zonder rugnummer - misschien zijn eigen schaduw - achter zich wilde laten. Onderweg hield hij halt bij zijn schoonvader die net de bakkerij wilde binnengaan. A wilde niet stoppen, maar bleef ter plaatse trappelen, vol ongeduld om verder te lopen, desnoods naar het einde van de wereld, maar vooral omdat de stank niet te harden was.

'Nog steeds niets in zicht?' vroeg zijn schoonvader. Hij leek de stank te negeren.

A schudde het hoofd, buiten adem, amper bij machte om te antwoorden, en rook weer onder zijn oksels. Hij kon nog zo veel trachten de stank te ontvluchten, hij hing aan hem vast en was misschien afkomstig van de combinatie van de synthetische stof van zijn nieuw pak en zijn zweet. Wel vreemd dat het dan niet jeukte. Hij wist dat hij ooit in de nabije toekomst de bakkerij zou moeten ingaan om het recept te vragen van de tiramisu die tot ver buiten de streek bekend was. Het dessert, waar hij voor instond en dat uit vijf verschillende minigerechten zou bestaan, zou de Anderen immers van hun sokken moeten blazen. Een schotel met tiramisu, crème brûlée, chocoladepudding, rijstpap en citroentaart. 'Hou me op de hoogte,' zei zijn schoonvader. 'Ik zal je niet langer ophouden. Zorg maar dat je niet te snel en te ver loopt, je weet nooit wanneer het komt. Straks moet je nog haar huis sprinten als het zover is. En we weten allemaal dat je een langeafstandsloper bent. Je bent toch nog bereikbaar?'

A toonde als een doofstomme zijn telefoon die aan zijn heup hing, vlak naast zijn stappenmeter en zijn hartslagmeter. Hij had zijn schoonvader al achter zich gelaten, klaar om in een rechte lijn naar huis te lopen en zijn route voor een keer wat in te korten, toen hij het bericht zag. Het kwam niet van zijn vrouw, het kwam van de bank: zijn collega had het over een plotse ommezwaai, een daling en als hij zich niet haastte, een *dwaling*, niet te overzien die heel wat schade kon berokkenen.

'Het is niet waar, hè!'

Hij begon de controle over zijn ademhaling te verliezen, leek te stokken, maar mocht niet stoppen. Hij was nog een paar straatblokken van zijn villa verwijderd, maar het lopen - en de stank - brak hem zuur op. Een tweetal straten verder moest hij plots wel stoppen en aan de kant gaan staan. Een opstoot van misselijkheid deed hem vooroverbuigen in de gracht. Het bracht hem weer wat meer tot zichzelf, maar de hele weg naar huis bleef hij denken aan een fantoomgeur. Was hij dan werkelijk de enige die de stank rook? Hij was misschien de hypochonder die dacht iets te ruiken terwijl er niets aan de hand was.

Thuis gooide hij de deur achter zich dicht en raasde de trap op naar boven, alsof het bericht en de misselijkheid een voorbode waren geweest. In de deuropening bleef hij staan en keek naar zijn vrouw die in bed op een stapel kussens lag.

'Wat is er?' was het eerste wat ze zei toen ze zijn wit en hevig bezweet ziekelijk gezicht zag.

'Ik werd misselijk,' zei hij. Hij hijgde. 'Hoe staat het met jou?'

'Wat, ben jij ook zwanger of wat? Ik voel nog niets,' zei ze. 'Hij laat nu toch wel zeer lang op zich wachten, neen?'

Hij ging op de rand van het bed zitten en terwijl hij tijdens de vorige zwangerschappen zijn vrouw had geleerd om haar ademhaling onder controle te houden, de baas te worden over haar lichaam, cool te blijven zodat ze niet naar die onnozele cursussen moesten gaan, was het nu omgekeerd, en probeerde hij zijn ademhaling aan te passen aan de hare. Het lukte matig maar na een paar minuten was alles weer normaal.

'Hoe was het? Waarom werd je misselijk?'

Heel even zat hij zonder antwoord. Hij had geen idee of het nu kwam door zijn nalatigheid waardoor ontelbare mensen, honderden en duizenden, een significant verlies hadden geleden, dat te berekenen was in termen van duizenden euro's - of dat het kwam door de stank. Hij stond op en weet het dan maar aan de stank, omdat die er was, en hij er niet naast had kunnen kijken. Het was de ideale zondebok en dus zei hij: 'Het stonk. Het stonk op straat. Ze waren wellicht ergens een beerput aan het legen in de buurt. Ik kreeg geen lucht meer. Echt waar, je zou ervan in paniek geraken. Je adem wordt zomaar afgesneden.'

'Dat moet je mij niet zeggen,' zei zijn vrouw.

'Ik wil het kort aan de slapen, maar lang in de hals, met zo'n zachte hanenkam zoals die zangers vandaag de dag,' zei de jongen in de lederen spaceshuttle-fauteuil in de kapperszaak waar voor de rest vooral vrouwen onder de haardroger hun horoscoop in een magazine zaten te lezen, losgekoppeld van de rest van de wereld. T legde de samplekaft met de haarmodellen opzij, zoals een volwassene op restaurant zijn keuze voor een vijfgangenmenu had gemaakt en de menukaart weglegde.

'Dan zullen we er maar aan beginnen, ' zei de kapster. 'Ik zal halverwege even stoppen, dan kan je zeggen of er nog wat meer af moet.'

T hield van kapperszaken. Het was vooral de geur van vernieuwing die het hem deed. Als hij kon zou hij elke week langsgaan en zich onder handen laten nemen. Het gevoel van de handen en vingers van vrouwen die door zijn haar golfden, zijn hoofdhuid kneedden en occasioneel zijn nek streelden, gaf hem koude rillingen. De schort die ze hem voorhielden met de twee gaten waar hij zijn armen door moest steken, was altijd weer een uitnodiging, het begin van een eenrichtingsomhelzing. Elke keer opnieuw liet hij zich vervolgens achteroverleunen, de nek netjes steunend op de wastafel, een omgekeerde guillotinehouding om het lieftallige lot in de ogen te kunnen kijken. Er waren kapsters die hem vroegen of hij er geen handdoek tussen wilde omdat het anders te hard was, maar er waren er ook die de warmte van het water belangrijker vonden en het water wel oneindig lang leken te kietelen met de toppen van hun vingers. Wat hem nog het meeste aansprak, was het gevoel van het geborgene. Ze droegen *zorg* voor hem, vroegen of het water niet te warm was, veegden de shampoo uit zijn ogen of zijn oren, gooiden na het wassen een handdoek over zijn hoofd op zo'n zachte manier alsof ze hem wilden wegtoveren of inpakken om zomaar mee naar huis te nemen. Nooit gingen ze te hard tekeer, de kapsters. Ze deden het allemaal op hun eigen manier en altijd was het wel iemand anders die hem onder handen nam zodat T keer op keer moest/mocht uitleggen hoe hij het wilde. Elke keer ook was het resultaat net ietsje anders; een blijvende zoektocht die nooit een bevredigend einde zou kennen. Maar telkens als hij zich installeerde in de verstelbare kappersfauteuil voor de spiegelwand vanwaar hij een zicht had op de rest van de wereld, als een piloot in de cockpit, liet hij zich bedwelmen door de verschillende geuren van shampoo, gels, wax, zeep en deodoranten.

'Ben je alweer begonnen met school?' vroeg het kapstertje van de dag dat er opvallend jong uitzag.

'Ik begin pas eind september,' zei T trots. 'Ik ben klaar met de middelbare school. Een maand extra vakantie.'

'Wat ga je studeren?' was de obligate volgende vraag.

Hij wilde zijn schouders ophalen, maar de kapster zei dat hij stil moest blijven zitten of ze sneed de helft van zijn oor eraf, zoals bij de schilder.

'Ik ben er nog niet uit,' zei hij op zo'n volwassen manier alsof hij straks niet meer als een jongen, maar als een echte zakenman uit de kapperszaak zou stappen, met een nieuwe coupe, op weg naar een nieuw leven. 'Ik twijfel nog tussen kunstgeschiedenis en geschiedenis, maar mijn ouders zien in geen van beide iets. Ze hebben liever dat ik een opleiding volg die me later wat zal opbrengen.'

Hij zag in de spiegel hoe de kapster zich bukte, ter hoogte van zijn oor, klaar om hem iets in te fluisteren. Raad? Een waarschuwing? Een bekentenis? Het was millimeterwerk, dat zal iedereen je kunnen vertellen. De oren, daar draaide het om bij de kapper; het zat hem in de details. Al de rest was ballast en voor de schijn.

'Je moet iets doen wat je graag doet,' zei ze uit ervaring. 'We leven in een tijd waar de toekomst toch niet meer zo belangrijk is als vroeger.'

T schrok van de gewichtige woorden van de kapster en dacht dat ze misschien ook liever wat anders was geworden dan kapper, zoals advocaat of filosoof. Of misschien probeerde ze de twee jobs wel te combineren.

'Eigenlijk wil ik er eerst een jaartje tussenuit,' zei hij. 'Een wereldreis maken. De zaken even laten bezinken, een beetje tot rust komen en daarna beslissen wat ik met mijn leven wil doen. Anders zou ik maar het gevoel hebben dat ik gedwongen word… in een rol.'

Ja, daar kon de kapster van meespreken. Ze had het rechteroor nu verlaten en was begonnen aan het linkeroor (of het rechteroor in de spiegel) en was meticuleus aan het meten met een mesje, haar liniaal of lat langs zijn hoofd dat een map of een atlas voorstelde. 'Een wereldreis. Tsjonge, dat zou ik ook ooit nog eens willen meemaken.'

'We zouden starten in Afrika,' begon hij. 'Midden-Afrika, in het hart van het continent. De ruwe natuur waar een zonsondergang nog zoet kan smaken en je de onbevangenheid nog kan ruiken. Daar een paar maanden blijven, niet om op safari of zo te gaan, maar om een ziekenhuis mee te helpen opbouwen. Ze hebben daar soms niet veel meer nodig dan een paar jonge handen om een ziekenhuis uit de grond te stampen. Er wordt daar heel anders gebouwd dan hier.' Daar had T haar verlaten. De kapster zat nu bovenaan, deed de haartjes als splinters hout uit zijn kruin opspatten, met haar venijnig klein schaartje, voetzoekers of vonkjes van een virtueel minivuurwerk. Ze zat met haar gedachten ergens anders, maar hij zat al in Afrika. Hij zag het zo voor zich.

'Wie weet blijf ik daar dan wel hangen, in Afrika. Ik denk dat mijn generatie zich niet zo erg meer vastklampt aan het materialisme van vandaag.'

'Dat is heel nobel,' zei de kapster en T had de indruk dat ze dat woord voor het eerst in haar leven gebruikte, omdat het ook niet zo vaak van toepassing was, en al zeker niet in een kapperszaak, of het zou om de nobele toepassing van een *permanent* moeten gaan. 'Maar de kwestie is dat ik het niet weet. Ik heb schrik om keuzes te maken.'

De kapster was bijna klaar met de kruin en liet de schaar nu voor wat ze was, om het hoofd af te werken met een trimmer die ze gebruikte om de nekhaartjes vakkundig te liquideren, een voor een, een instrument dat haar zoveel genot schonk als was het een trillende dildo. T wilde nog wat meer vertellen over zijn verschrikkelijke keuzes, de keuzes waar elke mens op zijn achttiende voor stond, maar hij besloot dat de kapster ver genoeg was gegaan. Hij kon onmogelijk tegen haar beginnen over zijn angst voor de dood en de schrik om, nu hij de school achter zich had gelaten, voorgoed vergeten te worden. De thema's die hem bezighielden zoals de redding van de wereld, de bewustwording van het milieu en de betrachting om 'goed' te doen, de verveling tegen te gaan. Hij had het sowieso al moeilijk genoeg om daarover te beginnen, laat staan dat hij het zou doen midden in een kapperszaak terwijl ze zijn bakkebaarden gelijk trokken.

'Vind je het erg als ik het een beetje fixeer met wat gel?' vroeg de kapster toen ze hem het resultaat toonde in een spiegeltje zodat hij zijn achterhoofd kon bewonderen, een zicht dat hem slechts heel sporadisch werd gegund in zijn nog jonge leven. Even verrassend en uniek als het zicht op een vulkaan of een maanlandschap. En ook heel bevreemdend om vast te stellen dat een mens maar sporadisch die kant van zichzelf te zien krijgt.

'Ja,' zei hij. 'Maar liefst niet te veel want anders droogt het uit.'

Maar ze had nog maar het zwarte glimmende doosje geopend of T rook *het*. Het deksel werd van een rioolput geopend. Waar de stank vandaan kwam, wist hij niet, maar hij bleef wel hangen in het kapsalon, nestelde zich onder de haardrogers van de brave huisvrouwen, in de wastafels en zelfs in de plukken haar die - minitapijtjes voor de muizen - op de witte tegels van de vloer verspreid lagen.

'Wel straf spul precies,' zei hij bedeesd, omdat het zomaar uit zijn mond was ontsnapt.

Maar de kapster had er geen oren naar en smeerde het goedje eerst in haar palmen, alsof ze haar handen waste in de onschuld en de onkunde, en begon dan met van zijn haar een kunstwerk te maken, trok de sprieten omhoog en weer omlaag, zigzagde het heen en weer, liet het met een denkbeeldig windje alle kanten uitwaaien, tot het naar haar zin en mening goed zat in de momentopname. *Freeze*.

'Daar zit zeker heel wat alcohol in?' vroeg hij voor de zekerheid want zijn neus begon ervan te prikken.

'Neen, niet zoveel. Het is een mengeling van gel en wax. Het is nieuw.'

'Dat zal het wel zijn,' zei Jonas. 'Het ruikt ook zo nieuw.'

Dat was wat hem doorgaans zo beviel aan het leven in de kapperszaak: de gedachte om als een pas ingepakt pakje weer buiten te komen, fonkelnieuw, glanzend, besprenkeld, *gedoopt*, zelfs al was het maar voor de duur van een dag, want de volgende ochtend zou er van het kunstwerk weinig meer overeind schieten dan een ruïne.

T stond op toen ze de schort wegsloeg en hem als een koning liet opstaan. Hij zag haar met een veegborstel, hoe ordinair, zijn restanten, de plukken haar, zijn DNA-materiaal als hooi in de hoek vegen, en dacht dat de stank ook daarmee wel van de baan zou zijn. Maar integendeel: de stank zat overal en even raakte T in paniek toen hij dacht, vreesde, *besefte* dat het ook in zijn nieuwe haar zat.

'Succes met je keuzes en je wereldreis,' zei de kapster. 'Je mag naar de balie gaan en daar zal er wel iemand komen om af te rekenen.'

Na de afrekening stond hij op straat, nog niet in Afrika, maar klaar om de bus naar het centrum van de stad te nemen, om op tijd op de hoek te staan wachten bij de school van het meisje waar hij verliefd op was. Aan de bushalte had hij geen idee of de stank nu uit zijn haar kwam of overal op straat aanwezig was. Misschien, zo ging het door zijn hoofd, alsof de gel een speciale grondstof bevatte die hem lichtjes deed hallucineren, kwam de stank wel van een of andere verborgen grondstof die men net bij de gemeente had opgegraven. Een eeuwig alternerend ethernit-verhaal, schadelijk voor de gezondheid en de bevolking. Een nieuwe doofpotaffaire. Een uitdaging en kans - zeg maar plicht of roeping - om met de groene rakkers te gaan betogen of een *sit-in* te houden voor de ingang van het gemeentehuis of de poorten van de fabriek.

Kon je een stank niet alleen ruiken, maar ook voelen? Betasten? Beleven? Toen hij op de hoek van de straat stond te wachten en zag dat het even voor vier was, nog tien minuten voor zijn hartendief die een jaar jonger was en in de hoogste klas zat, zou buitenkomen, wist T dat hij de stank als het ware zelfs kon *horen*. Hij kon ze aanraken en inademen, als een kwalijke of vieze, perverse gedachte. De stem van de duivel die op zijn rechterschouder zat en als een geel golempje uit de wax was vervormd en was neergedaald.

Het zou de eerste keer zijn dat hij het meisje zou aanspreken. Hij kende haar naam zelfs niet eens. Maar daarvoor stond hij ook op de hoek, zogezegd te wachten op een vriend. Zo zou hij het gespreksonderwerp beginnen. Maar de stank had alles in de war gegooid. T was van zijn stuk gebracht. Hij kon toch onmogelijk zo komen opdagen?

Dit alles stond hij te bedenken, te lang, tot de schoolbel ging en de poort openging. Hij zag haar buitenkomen en op hem afkomen, maar T had tegen dan allang het plan laten varen om zich voor te stellen, de vlotte jongen die natuurlijk net niet van de kapper kwam, maar zijn haar zo natuurlijk warrig droeg. Hij stak de handen diep in zijn zakken en draaide zich om, beschaamd bijna, om de straat over te steken. Zo ontweek hij niet alleen háár, zijn target, maar liep hij ook op die manier recht tegen de wind in. De wind die venijnig om de hoek kwam geslagen, vanaf de oever en de kade, een zachte, maar niettemin doordringende zomerwind die de stank van hem zou afblazen. Een borstel die het vuil van zijn lichaam zou wegvegen. Maar zijn haar vormde met de wax als wapen een front en een fort tegen de belegering.

Vanaf afstand draaide hij zich nog één keer om en zag haar de bus nemen, dezelfde bus die hij ook hoorde te nemen. Hetzelfde zitje, helemaal achteraan, waar hij naast haar had moeten zitten en de volgende openingszin had moeten proclameren: 'Heb je geen zin om dit weekend mee te gaan betogen?'

Het maakte niet uit waartegen ze zouden betogen, al gingen ze met hun tweetjes gaan betogen tegen de verwaarlozing van het Kyoto-akkoord. T kon alleen maar bedenken dat de stank er niet zomaar was. Het was een signaal, een teken om in opstand te komen en het deksel van de doofpot te nemen. De algemene ontmaskering van de schijnheiligheid van de regering, de bestuurders, de wereldleiders, de Mensheid. Zo'n signaal kon hij niet zomaar over zich laten gaan, niet zoals hij zich had laten overvallen door de stank die tegen dan al helemaal bezit van hem had genomen. Neen, hij was uitgedaagd tot actie.

De liefde moest nog even wachten.

De stank als staking.

De samenkomst begon als de prelude van een programma, al dan niet voor de televisie of het internet, maar groeide al snel uit tot een maatschappelijk experiment. Nog meer dan een hype of een signaal van de tijd waarin men leefde, werd het Das Experiment dat de versplintering van de samenleving en de uitzwerming van menig mening op allerhande fora zoals sociale media en gelegenheidsgroepen moest tegengaan. De eerste Aflevering van het eerste Seizoen bestond uit de Aankomst van de vijf Anderen.

Vijf naamloze mensen, die elk een bepaalde doelgroep in de samenleving vertegenwoordigden. Vooraf werden contracten opgesteld en ondertekend, om bijvoorbeeld zeker te stellen dat men geen echte namen en gegevens zou gebruiken. Alles zou anoniem gebeuren; het hoogst haalbare was een initiaal, al dan niet met hoofdletter, maar voor de rest werden mensen personages en personages afgevaardigden, of zelfs paradigma's. Ze kregen alle vijf een bepaalde letter die samen het vijfletterwoord konden vormen, zoals kleine kinderen op een zomerkamp een zelfgemaakt papieren etiket of naamsticker kregen opgeplakt om niet verloren te lopen of deel uit te maken van een Groep.

Zo arriveerden ze alle vijf op hun eigen manier op de Basis: een ondergrondse bunker die door de Makers van het Programma was ingericht als een kruising tussen een schuilkelder en een astronautenbasis.

En zo voelden ze zich ook. Meer nog: zo werden ze in de media aangeprezen. Als vijf astronauten die niet de ruimte zouden worden ingeschoten, maar ondergronds zouden gaan, om de Mensheid een dienst te verlenen. Op sommige momenten deed het geheel denken aan de openingsscène van een goedkope horrorfilm waarbij vijf jongeren nietsvermoedend hun intrek nemen in een hut in een donker woud. Zo kwamen ook deze vijf deze afgesloten capsule binnen, met niet meer dan wat handbagage, klaar om een tegenbeweging te vormen tegen de recente vloedgolf van exclusieve, peperdure ruimtereizen die sinds kort door privébedrijven voor particuliere superrijken werden georganiseerd. Het Experiment had als doel te bewijzen dat men ook aan de Stank kon ontsnappen door niet de aarde te verlaten, maar vanuit eigen kracht en middelen te strijden.

In de eerste Aflevering was de gastheer, of eerder gastvrouw, de kunstenares die niet nader bij naam werd genoemd, maar als K werd aangeduid. Zij had voor de eerste Gang gezorgd: hors d'oeuvres die ze serveerde op een grote zilveren schaal nadat de dubbele zware deur naar de eetzaal werd gesloten. Tegen dan waren de reporters, de toeschouwers buiten het complex en zelfs de organisatoren allang weer verdwenen. Zelfs de man in het nauwe rode trainingsuniform die letterlijk de Rode Loper speelde en van hot naar her holde, was uiteindelijk naar het einde van de horizon gelopen.

Nu bleven de vijf gasten en gastheren alleen achter in wat niet anders kon worden genoemd dan een Con-

2

DE STANK

EN DE STAND DER ZAKEN IN DE STAD

*"And it shall come to pass, that instead of
sweet smell there shall be stink."*
- - Bible

Het bankkantoor waar A werkte, was de volgende ochtend in vrije val, net zoals de stad in rep en roer stond door dat 'ongrijpbare' en 'onwezenlijke' dat hier en daar in de krant en in de journaals een natuurramp werd genoemd. De stank was nationaal gegaan, in één nacht tijd zowaar, en had zich vooraan de frontpagina's genesteld, tussen het zoveelste besparingsplan en een pijnlijke afrekening tussen twee politieke partijen. Er werden een paar foto's vertoond, die leken op prenten die bij het weerpraatje op de achtergrond worden geprojecteerd en waar niets speciaals op te zien was, zodat het allemaal maar één grote grap leek. Een wereldlijke 1 aprilgrap. Je moest *erdoorheen* kunnen kijken om de ernst van de situatie te kunnen vatten. Dit was niet zoals de smeuïge rookwalmen van uitlaatgassen in Athene of Peking; het was volwassener, subtieler, meer geslepen.

"Waar komt hij vandaan, de stank?" was de voornaamste teneur. Een van de meer volkse kranten drukte haar bezorgdheid uit in slogantaal: "Het stinkt!".

In de voorbije nacht waren er drie keer zoveel verkeersongelukken voorgevallen en dat op een van de meest warme en droge zomernadagen. Het regende berichten over bestuurders die met de wagen in de gracht of zelfs het kanaal waren gereden, ten einde raad, alsof een klik in hun hersenen ervoor had gezorgd dat ze het lot in eigen handen hadden genomen.

A kwam het kantoor binnen en zag zijn collega's nog meer in ontreddering dan toen de eerste crisis in 2008 was uitgebroken, na het failliet van de Lehman Brothers. Hij zag taferelen die hij herkende: mannen die hun rapporten en dossiers aan het inpakken waren of die verslagen op hun draaistoel bleven zitten, starend naar het scherm dat voor één keer geen beurscijfers vertoonde, maar journaals. Eerst dacht hij dat er een tweede, of beter derde crisis was uitgebroken, na de banken- en de Eurocrisis, de algemene onafwendbare crisis die het eind van de wereld zou betekenen. De totale crash die hem zou vertrappelen en waarvan hij al het voorteken had gevoeld toen hij gisteren een halfuur te vroeg was gestopt. Met één oog op het scherm en zijn hoofd om de hoek loerend, bleef hij nog even uit het kantoor, het mysterieuze mijnenveld, omgeven door een onzichtbare kracht, en polste bij een collega.

'Wat is er aan de hand? Een crash? Ik had het al zien aankomen gisteren toen...'

'Een crash? Neen, dit is iets helemaal anders. Waar jij nu nog over begint. Heb je het nog niet gehoord op de radio of de televisie?'

Daar hadden ze het over de stank die geen gezicht had. Een omgekeerde, concreet geworden abstractie, haaks tegenover het gezicht van Osama bin Laden of de Duivel dat sommige mensen in het rookgordijn vlak na de instorting van een van de Twin Towers konden ontwaren. Het bleef een abstracte vijand; het enige wat men kon doen, was een paar experts aan het woord laten die de stank zo goed mogelijk probeerden te omschrijven, soms met de meest vergezochte metaforen, en catalogiseerden als 'een vreemde en verontrustende aanwezigheid' die wel eens uit de hand kon lopen als de mens niet tijdig ingreep. Een wereldlijke scheet die Zeus van zijn berg deed donderen.

'Wordt het plaatselijk rampenplan dan afgekondigd?' wilde de nieuwslezeres weten in dit extra journaal. Ze richtte zich tot haar eigen scherm waar een reporter ter plaatse was gaan kijken om de sfeer op te snuiven, of in dit geval, de stank.

'Neen, voorlopig houdt men zich aan de verschillende stappen van het rampenplan. Het Ministerie van Defensie is ingelicht, de regering is waakzaam en bespreekt deze kwestie binnenshuis. Er komt zeer waarschijnlijk tegen het eind van de namiddag een persmededeling na het spoedberaad van de ministers in de senaat.'

A wendde zich af van het scherm en ging voor zijn computer zitten, niet beseffende wat hem nu te doen stond, of beseffende dat hij überhaupt nog een besef had. Hij zag hoe men na het journaal de televisie uitschakelde en weer overging tot de orde van de dag. Het is te zeggen: men sprak nog steeds over de stank, maar in een andere context.

De stank was niet langer een bedreiging voor de volksgezondheid, zijn collega's hadden het voornamelijk over de invloed die de stank kon hebben op de aandelenmarkt. De stank debuteerde nu als maatschappelijk verschijnsel met verregaande gevolgen.

'Het is nog niet erg genoeg met de crisis, nu zal het helemaal bergafwaarts gaan. Dit is een ramp, een regelrechte ramp.'

De stank, zo werd her en der beweerd, zou voor zoveel onrust en onzekerheid kunnen zorgen dat de mensen hun centen snel van de spaarrekening en de beleggingsfondsen zouden halen. Het onverwachte en het onbekende waren altijd een stoorzender; straks zou men wel weer aan het hamsteren slaan en zich opsluiten in schuilkelders. Of weer de loopgrachten in, met maskers op en makkers onder hen gelegen.

'Maar zo ver is het toch bijlange niet,' opperde A. 'Het is een luchtje. Een stank, niets meer, niets minder.'

Hij probeerde zijn collega's en vooral zichzelf gerust te stellen. Dit was een normale reactie van de buitenwereld én van de binnenwereld in de bank: geld stinkt. Maar dat was altijd al zo en zou altijd zo blijven. Ook dit dipje zouden ze zeker te boven komen, dit was geen immense schuldencrisis of een burgeroorlog die roet in het eten kwam gooien. Hij opende zijn agenda en zocht de telefoonnummers van een paar belangrijke klanten huis te gaan. De gedachte dat hij gisteren zijn training vroegtijdig had moeten staken, gaf hem nog meer verlangen dan anders om ertegenaan te gaan. Maar toen hij de wagen ergens langs een gracht parkeerde - een soortgelijke gracht waar hij gisteren nog uit onmacht de ziel uit zijn lijf had staan kotsen - en zijn loopschoenen had aangetrokken, trof het hem hoe leeg de straten waren. Hij kende de buurt en was lukraak ergens gestopt, in de wetenschap dat hij op een of andere manier wel zijn weg naar huis zou vinden. Toen hij dus aan zijn eerste meters begon, dacht hij dat hij gewoon in een van de stillere straten was aanbeland. Maar gaandeweg zag hij de leegte. Er waren geen kinderen die na school in het parkje met de bal aan het spelen waren of een ouder echtpaar dat aan het fietsen was. Hij liep een heel eind, tot aan het hoger gelegen stuk weiland, vanwaar hij een zicht had op de stad, enkele kilometers verder. Daar checkte hij zijn afgelegde weg, zijn hartslag, zijn energieverbruik, en keek over de glooiing heen. Het weidse weiland van weleer zag er niet anders uit, alleen waren zelfs de koeien en de paarden op stal gezet. Een ansichtkaart waar men de levende figuren met een computerprogramma had verwijderd en in de *trash can* had gegooid.

Toen hij weer koers zette naar zijn eindbestemming, hield A de adem in. Hij kon niet anders. Het was heiligschennis als langeafstandsloper; net daarom ging hij ook altijd in zijn eentje lopen, omdat hij wist dat een sparringpartner die naast hem zou lopen/praten hem niet alleen zou afleiden, maar ook zijn ademhaling uit balans zou brengen. En toch kon hij op dat moment aan niets anders denken dan aan zijn ademhaling. Het stoorde hem dat hij verplicht werd eraan te denken, om de stank buiten zijn lichaam te houden en dus niet in te ademen. Stilstaan bij een mechanisme dat te evident is voor woorden deed hem net stokken, zoals het gevaarlijk en niet aan te raden is om na te denken over het wonder van het spreken, woord voor woord, tenzij men wil beginnen stotteren en uiteindelijk helemaal stilvallen. Het deed hem langzamer lopen en lanterfanten, en uiteindelijk af en toe eens halt houden, alsof hij de controle over zijn lichaam was verloren.

Tijdens het stappen zag hij de mensen achter het raam zitten, in hun woonkamers, ofwel naar de televisie te kijken of te kaarten, te lezen of te praten. Hijzelf had nooit een oorlog meegemaakt zoals zijn voorouders in de vorige eeuwen, maar op slag zag hij zoals het toen was: de sfeer van de eenzame lantaarnpalen op straat, de mens die met het rolluik het venster op zijn leven sloot. Het leven ging, ondanks de stank, verder, maar dan wel achter de ramen, binnenskamers. Geminimaliseerd en geoptimaliseerd tegelijkertijd.

Het was de eerste keer dat A stilstond, *letterlijk*, bij zijn omgeving, terwijl hij er doorgaans door raasde, de blik op oneindig, de bewegingen van armen en benen synchroon, in balans als een balletdanser, als een organische machine die zichzelf in stand moest houden en elektriciteit opwekte. Het trof hem hoe eenvoudig de mensen leefden in hun huizen. Het begrip bunker begon weer terrein te winnen. Hier en daar had men al een lamp aangestoken, al was de schemer nog niet ingetreden. Hij wilde zichzelf weer op gang trekken, toen hij ineens toch beweging zag. Een politiewagen kwam de straat ingereden, stapvoets, alsof ze hem al een hele tijd in de gaten hadden. A, betrapt, keek eerst niet opzij, tot duidelijk werd dat de politiewagen langs hem bleef rijden en het raampje omlaag ging.

'Wat doet u hier?'

Het was een vraag die hem choqueerde.

'Ik woon hier.'

'Waar woont u? In deze straat?'

'In deze buurt.'

'Waar gaat u heen? Naar huis mag ik hopen?'

'Ik ben aan het trainen voor een marathon,' zei hij.

Hij stopte en kon niet anders dan naar adem happen, een deel van de stank tot zich nemen.

'Ga maar snel naar huis,' zeiden ze hem. 'Of heb je het bericht niet gehoord?'

Hij zag ze zitten, de buurtwacht die de hele avond rondreed en de avondklok weer in het leven hadden geroepen.

'Er is gemeld dat de bevolking beter binnen

blijft tot we meer nieuws hebben over de resultaten van het onderzoek. Tot duidelijk wordt tot wat die stank in staat is.'

'Maar ik moet trainen,' zei A en terwijl hij het zei, wist hij dat het ongelooflijk stompzinnig en triviaal klonk, maar hij wilde exclusiviteit hebben of een uitzondering zijn, alsof ze hem wel als enige zouden toelaten in het terrein dat verboden was voor al de rest.

'Dat zal je dan maar binnen moeten doen,' zei de agent die achter het stuur zat. Hij deed het raampje alweer snel naar boven en voegde er nog aan toe: 'Ik ga het geen tweede keer zeggen. Ga naar huis en blijf thuis. Als we je hier nog eens betrappen, ga je mee naar kantoor.'

A wist niet wat hij hoorde en hoopte dat ze een grapje maakten. Ja, toch? Hij kon het ze niet meer vragen want de wagen gleed alweer verder de straat uit, trager dan de traagheid en hij zag dat ze de hele avond rondjes zouden rijden. Hij was de stank even vergeten, toen hij daarnet bijna omgeven werd door een ander gas, de uitlaatgassen van de politiewagen, die stationair draaide en die de rook van benzine, als een verstuiver, de lucht instuurde. Straks zou men nog achterwaarts op de grond gaan liggen, lurkend aan een darm verbonden aan de uitlaat, deze keer niet om zich van het leven te beroven, maar om zich te beschermen tegen de doodsadem. Maar nu verdween ook die lucht beetje bij beetje, en wat restte was de stank, straf genoeg om weer van weg te lopen.

Thuis, terwijl hij onder de douche stond, vroeg A zich af of de stank even erg was in New York. Misschien was dit wel niet alleen van voorbijgaande aard, maar ook een plaatselijk probleem. De gedachte aan de lege, immense, brede straten van hartje Manhattan, waar hij normaal gezien zou moeten lopen, omringd door de mens en Mensheid, maakte hem ineens bewust van zijn sterfelijkheid. Een apocalyptisch visioen was het, zoals hij zich soms voorstelde om door New York te lopen in een droom. Na de douche droogde hij zich af, hopend daarmee ook de intensiviteit van de stank van zijn huid en haar af te vegen, te schudden, te wrijven. Een moment lang bleef hij perplex staan, zag zichzelf in de spiegel, en besefte: godverdomme, als de stank zich ook daar heeft gemanifesteerd, wordt de marathon misschien wel helemaal afgelast. En daarmee verloor hij op slag, net zoals een aandeel op een ochtend op slag geschorst werd omdat het een ondergrens had bereikt, de hele zingeving van zijn bestaan. De stank als allesverlammend gas, een zenuwgas.

Lichtjes in paniek voelde A nog steeds de adrenaline in zijn lichaam. Voor de tweede dag op rij werd hem het afreageren niet gegund.

'Ik moet toch iets dóén,' legde hij uit aan zijn vrouw die het tegenovergestelde deed, namelijk doodstil liggen, wachtend op het magische moment van de bevalling. 'Ik heb mijn hele lichaam de voorbije maanden aangepast en bewerkt, het programma opgebouwd. Ik kan nu toch onmogelijk gewoon stilvallen, als een stel batterijen?'

'Waarom doe je niet wat anders?' vroeg zijn vrouw. 'Straks zal je wel iets om handen hebben, als het zover is en we naar het ziekenhuis moeten.'

Maar daar draaide het niet om.

'Ik ga een paar baantjes trekken,' zei hij dan maar troosteloos. 'Dat zal toch nog toegelaten zijn, hoop ik. Een mens is straks niet eens meer baas in zijn eigen huis, laat staan in zijn eigen straat.'

Op de trap bleef hij even stilstaan om door het dakraampje dezelfde politiewagen weer te zien patrouilleren door de straat. Het had iets zieligs, maar ook dreigends. Het raam was een frame van een filmscène. Even kwam hij in de verleiding om de trap op en af te lopen, om zo het teveel aan adrenaline kwijt te raken. Toch kroop hij in zijn wagen en begaf zich naar het openbaar stedelijk zwembad. Maar ook daar waren de deuren gesloten. *Paradise lost.*

Vreemd, kon hij alleen maar denken.

Het zicht door de glazen wanden op het stille, rimpelloze wateroppervlak deed hem zelf verstillen. Hij dacht aan het chloor, toch zowat een van de strafste geuren die je kon inzetten om een stank te verdrijven. Waarom hadden ze dat niet ingezet? Hij zag de lege stoelen van de redders, de duikplank die er strak bijlag, als een guillotine die voor het laatst was gebruikt. Een schuimrubberen waterslang waarmee kinderen soms leerden zwemmen, dreef doelloos rond. Vergeten en verstoten.

Op weg naar zijn wagen passeerde hij het vijvertje met het fonteintje op het dorpsplein. Dat was het enige dat nog werkte, en zonder omkijken, of zich ook maar iets aan te trekken van een buurtwacht, stak hij zijn hoofd eronder. Hij wist niet wat hij erger vond: het gevoel om als een schim door de straten te dwalen of de stank die hij nog steeds rook, ja, zelfs met zijn ogen, oren en neus dicht, onder het water. Er was geen ontkomen aan, hij zat vast als een rat in een riool en keek voor het eerst uit naar de geur van zijn vierde pasgeboren baby. De pregnante geur van bloed, moederkoek en slijm - alles was beter dan dit! - die hij zelf eigenhandig met een schone handdoek zou afvegen, de erfzonden van zijn bestaan, tot de geur van de onschuld, zijn naamloos nageslacht, hem zou overweldigen en overmeesteren, tot tranens toe.

Zoals vroeger voor elke kamer in de gang van een hotel soms een paar schoenen klaarstond om gepoetst te worden, zo stond er voor elke patiëntenkamer een emmer, soms nog niet gebruikt en in afwachting van een lading, soms al gevuld met de zure substantie van patiënten die onwel waren geworden door de stank.

S was met lichte tegenzin, maar ook wel met enige nieuwsgierigheid begonnen aan haar volgende shift; ze was opgeroepen om even uit haar rol van gynaecologe te vallen omdat het ziekenhuis bestormd werd door mensen met acute klachten zoals braakneigingen, misselijkheid en ademhalingsproblemen. Vrouwen wilden weten of ze al dan niet zwanger waren of gewoon last hadden van de stank. Met jonge tienermeisjes die om de haverklap in de toiletten van de school bevielen van een kind dat ze in geen honderd jaar zagen aankomen, kon tegenwoordig alles.

'Mijn God, het is hier een echt gekkenhuis,' constateerde ze toen ze de gang inliep en een verpleegster tegen het lijf liep.

'Het lijkt erger dan het is,' zei de verpleegster. 'Het vreemde is dat de mensen niet ziek zijn en geen erge symptomen vertonen. Ze zijn meestal in paniek en weten niet wat hen overkomt.'

'En wij wel,' zei S bedenkelijk toen ze de wachtenden op de spoedafdeling zag zitten.

'We moeten er soms snel bij zijn. Er zijn er al een paar aangekomen die het niet meer konden houden. De schoonmaaksters draaien een dubbele shift om de vloer van de spoedafdeling continu schoon te houden.'

'Dat is nog het minste,' zei S. 'Maar waarom komen ze naar hier? Als ze weten dat het alleen maar een stank is?'

'Ze denken dat wij ze kunnen redden, zeker?'

Op de achtergrond, helemaal achter in de zaal van de spoedafdeling zag ze een vrouw met een meisje van zeven, acht jaar binnenkomen die de vloed niet meer kon inhouden en zich omdraaide om tegen een plantenbak met plastic varens over te geven. Alsof dat doodgewone en alledaagse kost was, knikte de verpleegster naar een van de poetsvrouwen en zei terloops: 'Heb je het gehoord daarnet op het nieuws? Men zegt dat het misschien om een terroristische aanslag gaat. Zoals men altijd al gevreesd had: een ziektekiem, een bacterie of microbe in de lucht laten verspreiden als een virus. Geen nucleaire, maar een bacteriële aanslag. En wij al die tijd maar denken dat Iran aan een atoomboom werkte, terwijl ze één grote scheet hebben gelaten.'

'Maar er is geen ziekte,' herhaalde S met klem. 'Er is zelfs geen ziektebeeld. Het is gewoon... het stinkt.'

Ze wilde de zaak niet kleiner maken dan wat ze was, maar zeker ook niet groter.

'Ik weet het,' zei de verpleegster. 'Een aanslag op de goede smaak. Maar voor je het weet, laat je jezelf zo meeslepen door de paniek, dat je zelf gaat geloven dat er meer aan de hand is.'

S ging een paar hoofden af, maar zag geen bejaarden met etterende zweren, geen kinderen met rottende, ontstoken wonden. Het schilderij dat ze kreeg voorgeschoteld, deed haar nog het meeste denken aan een Bruegheliaans landschap, met deze keer geen gezellige familie die aan een lange, houten tafel rijstpap aan het verorberen was. Het was een slagveld van wansmaak. De stank had het ziekenhuis omgetoverd tot een absurd, bijna clownesk en burlesk vaudevilletheater. Overgeven aan de stank betekende ook letterlijk overgeven. S kreeg een pilletje in de handen gestopt door de verpleegster en zag dat het een zuigmunt was.

'Hier, hebben we deze ochtend gekregen.'

'Wat, een gifpil om aan deze wansmakelijke vertoning te ontsnappen? Zoals de joden in de oorlog soms een gifpil in een ring hadden gestopt om als de nood het hoogst was deze onzin achter hen te laten?'

'Een speciale kauwgum, van bij de tandarts, speciaal gemaakt om de stank tegen te gaan. Het helpt niet helemaal, maar het is als met fantoompijn: als je er maar genoeg aan denkt, lijkt het zelfs maar voor even dat je een frisse smaak in je longen hebt. Het gaat rechtstreeks naar je neus.'

S keek naar het pilletje en liet het op haar tong liggen, een muntstuk dat smolt in een streepje zon.

'We hebben een paar patiënten in de kabinetten gezet om ze nader te onderzoeken. Wat moeten we anders doen? We kunnen ze maar gebruiken, nietwaar, om er zeker van te zijn dat er niets schadelijks in hun lichaam zit.'

Later leerde ze dat een paar collega's al van zeven uur 's ochtends in de weer waren geweest met het nemen van scans en echo's van de voornaamste organen zoals longen, lever en darmen.

'Ze hebben niets. Geen enkele patiënt heeft maar iets opgelopen van die stank. Ja, we zijn door het onderzoek bij sommigen wel een paar andere zaken op het spoor gekomen, maar dat had niets te maken met de stank. De meeste klachten zijn vaag, het is te zeggen, zijn eigenlijk geen klachten om over te klagen.'

Als gynaecologe sloot S zich op in haar afdeling waar ze een voor een de jonge moeders ging bezoeken. Ze vroeg zich af of de stank ook al de moedermelk had veroverd.

'De baby's drinken nog altijd volop van de borst,' zei een verpleegster haar. 'Maakt u zich maar geen zorgen. De moeder stellen het goed. Ze hebben alleen te kampen, deze keer niet met een ochtendmisselijkheid voor de geboorte, maar met een misselijkheid erna.'

Ja, dacht ze, alsof ze dat laatste restje walging per se uit hun lichaam willen persen. Ze zag ze liggen, de moeders, bijna allemaal verzwakt door een tekort aan vocht en vloeistof, aan een infuus gekoppeld, met allemaal dezelfde bezorgde, maar ook liefdevolle blik op hun baby's - al dan niet in een couveuse - gericht.

'Die daar in de couveuses hebben het tenminste nog goed voor elkaar,' zei ze zonder te beseffen dat ze hardop sprak. 'Ze zitten beschermd voor de buitenwereld. In een luchtledig lab.'

Het leek haar niet duidelijk of de moeders opgelucht waren dat hun verse vrucht niet was blootgesteld aan de algemene stank, dan wel of ze zelf ook hunkerden naar zo'n bescherming, een glazen tempeltje, desnoods helemaal niet aangepast aan hun eigen gestalte, zodat ze gebocheld en verdrongen hun toevlucht zouden moeten zoeken tot glazen paleizen, als olifanten in porseleinen kasten.

'Ik heb de indruk dat ze boven ook niet meer weten wat ze moeten doen. Vanochtend kregen we nog de opdracht om alle ramen open te zetten en de kamers en gangen te verluchten omdat de stank door de verwarming en de ventilators binnenkwam, maar nu moet alles weer dicht om de geur buiten te houden.'

'Onbegonnen werk,' zei S en ze dacht ongewild aan het verhaal van de Franse joden die in 1942 met duizenden in de Vélodrome in Parijs in de hete zomer werden opgesloten; beesten in een desolate zoo, zonder toilet, en de geur die daardoor vrijkwam. Bewoners van de omringende buurten moesten toen ook de ramen sluiten om niet mee ten onder te gaan door verstikking. Eén bepaald verhaal was S altijd bijgebleven, zonder te weten of het werkelijk waar gebeurd was of niet: een joods jongetje had zich opgesloten in een verborgen kast in de muur van een slaapkamer en was daar gestorven waardoor de gruwelijke geur van de ontbinding zo straf was dat de nieuwe bewoners de ramen openzetten. En toen het bericht binnenkwam dat alle ramen weer dicht moesten vanwege de Brood en Spelen in de Vélodrome, gingen ze er gewoon vanuit dat de geur zich al had genesteld in hun appartement, zonder te weten dat de geur, in de gedaante van een gestorven spion, al tot in de muur was doorgedrongen.

'Als het niet binnenkomt met de lucht of het water, dan komt het wel binnen via ons. Het zit al in ons haar, in onze kleren, op onze huid.'

Ze snuffelde ongemerkt aan de kiel van de verpleegster, die zelfs op het eerste gezicht geel was verkleurd, stinkend naar pis bijna, en zei: 'Kijk, ik ruik het al niet meer omdat ik ook stink.'

'Het is misschien als een tornado of een orkaan,' zei de ander. 'Die gaan meestal toch ook weg. Neen?'

'Ik zou er niet op rekenen,' zei ze.

Er stond midden in het tumult en de heisa van de opgeklopte onzin - de stank als pretbederver van het leven in de meest letterlijke zin van de betekenis - ook nog een geboorte op het programma. Het leven denderde gewoon voort, met of zonder stank. Maar voor ze naar de Dienst Materniteit ging, wilde S nog even binnenspringen bij haar moeder, waar ze echter tot haar verbazing werd tegengehouden door de behandelende dokter.

'Het gaat niet zo goed,' zei hij tegen haar. 'We

dachten dat we het onder controle hadden, maar ik vrees dat ik slecht nieuws heb. De medicijnen doen niet wat we willen dat ze doen en haar lichaam reageert er ook niet op, integendeel, het lijkt ze zelfs af te stoten. De ziekte is ook al in een ver stadium gevorderd. Het kan nu alleen maar snel bergafwaarts gaan.'

S wilde de dokter opzijduwen, onder het mom dat ze hier was om mensen geboren te laten worden, niet om ze te laten of zien sterven. Bovendien was haar moeder gisteren nog bijdehand genoeg om haar de les te spellen over haar huwelijk.

'Het spijt me,' zei de dokter haar indringend aankijkend. Ze zag dat hij een flesje parfum van David Beckham in de borstzak van zijn kiel droeg, niet om te pochen of om op de versiertoer te gaan, maar uit noodzaak. Misschien zou dat wel de nieuwe trend worden: in plaats van tatoeages, piercings of allerhande smartphone-gadgets zouden ultrakleine parfumflesjes, als de flacons whisky uit de jaren twintig, hun opwachting maken in de etalages. Ze vroeg zich af wanneer of om de hoeveel tijd de dokter zich besprenkelde om de schijn op te houden en zich onaantastbaar boven de wet te stellen. 'Ik wou dat er nog iets was wat we konden doen, maar het ziet er niet goed uit. We kunnen alleen maar afwachten. Aftellen.'

Hij liet haar staan, lang genoeg zodat ze eens goed om zich heen kon kijken, met een totaal andere blik nu. De blik van verheldering; haar geest die helemaal anders tegen de wereld aankeek.

Wat zitten die mensen zich hier allemaal aan te stellen, ging het door haar hoofd. Het stinkt. Wel? Ze zijn niet eens ziek, ze gaan niet eens dood, ze komen gewoon binnen om te kotsen. Mijn moeder is stervende!

De schreeuw bleef in haar steken. Voor ze de kamer binnenging om de schijn nog op te houden tegenover haar moeder, vroeg ze zich af hoe ze dit zou aanbrengen bij haar vader. Zou ze het überhaupt wel vertellen? Wanneer zou ze dat kunnen doen? In de vijf minuten dat hij hier bleef rondhangen, alsof hij bang was dat de stank hem zou vatten? Vergeefse moeite, dat wist hij ook wel, de man die misbruik maakte van haar belofte aan haar moeder.

Ze vond ze allebei in één kamer: haar moeder rechtop in bed, met één hand in de lus van het snoer met de alarmknop, alsof ze op het punt stond een verpleegster te bellen die deze belager kon laten afvoeren. Haar vader, met zijn rug naar haar, aan het raam, die met zijn vingers over een blaadje van een plant ging. S had er nooit eerder bij stilgestaan welke planten het waren, maar voor het eerst zagen ze er niet eens echt meer uit, van plastic. De vettige bladeren glansden als besprenkeld met glazuur, en ze zag dat ook haar vader het voelde, de zweterige neerslag op het groen, die als een laag stof op een plint was blijven liggen, en die nu op het topje van zijn vinger lag.

Hij draaide zich om en veegde zijn vingers af aan zijn broek, voor hij tegen haar zei: 'Zo, kleine meid, je komt ons toch vertellen dat je moeder naar huis mag, hoop ik? Die stank is er net te veel aan.'

De hele wereld had zich gehuld in de merkwaardige stank, dus kon het ook niet anders, dacht T, dat ook het meisje waar hij gisteren nog beschaamd van was weggelopen, tegen dan ook *besmet* was. Hij was haar achtervolgd tot in de openbare bibliotheek, een van de weinige publieke gebouwen die nog open bleven, voor een deel als schuiloord, zoals landlopers en clochards soms in het treinstation bleven overnachten. T kuierde langs de boeken van de afdeling Wereldliteratuur - rang S 2 - en bespioneerde haar, tussen de rekken door, liep nietsvermoedend langs een versleten exemplaar van *Het Parfum* van Patrick Süskind, toen hij bijna betrapt werd. Het meisje, zelf ook maar doelloos lanterfantend, keek zijn kant op. Hij keek uit het raam naar beneden en zag dat een kleine massa zich verzameld had op de trappen van de bibliotheek. Net wilde hij weggaan toen hij haar zachte stem opeens achter zich hoorde.

'Wat jammer dat we de geur van oude boeken niet meer kunnen ruiken, hè?' was het eerste wat ze zei.

'Eh, ja,' hakkelde hij.

Hij had er, net als vele anderen, nog niet bij stilgestaan dat de stank ook alle andere concurrerende geuren had weggejaagd, met een stok bijna, weg van het erf van de wereld. Een monopolie drong zich op, onder het oog van het machteloze volk.

'Ja,' beaamde hij ineens toen hij doorhad wat ze bedoelde. 'Net zoals de geur van een brandende haard of vochtige blokken hout in het mos of het zout van de zee.'

Hij kon zo nog een tijdje doorgaan, al was het maar om de conversatie gaande te houden.

Het meisje zei: 'En wat dan met al die lekkere dingen om te eten? Verse vis, scampi in de looksaus, witloof, barbecue. Zelfs een ordinaire cheeseburger is eraan voor de moeite.'

Het meisje stelde zich voor als D; ze zag er zuiders en mooi uit. T vond dat ze helemaal niet strookte met de stank. Ze vloekte ermee, straalde zoveel frisheid en natuurlijkheid uit dat ze de stank in haar eentje wel leek aan te vechten. Een weldoenster die ook op haar geheel eigen manier de honger in en uit de Derde Wereld wilde helpen.

'Kom je vaak in de bibliotheek?' vroeg hij dan maar, een stuk minder diepgaand dan hij wilde want in tijden van stank en schaamte werd alles vanzelf tot een hoger niveau getild.

'Neen, ik dacht dat ik hier troost zou vinden. In

de boeken, in de geur van het papier, het karton van de kaften, maar het lukt niet. Ik ruik niets behalve die verschrikkelijke, onmenselijke…'

Ze zocht het woord, maar ook hij kon het haar niet geven.

'Als je het mij vraagt is er meer aan de hand dan wat de overheid en de pers ons willen laten geloven,' zei hij samenzweerderig. 'Zo gaat het toch altijd. Volgens mij hebben we te maken met een tweede Fukushima, maar dan nog een stuk erger. Er zullen zeker stralingen mee gemoeid zijn. Dat hebben we pas maanden achteraf in Japan ook gehoord, nietwaar? Ze houden het zeker voor ons verborgen. Die stank is ofwel een voorbode voor iets verschrikkelijks ofwel een soort nasleep van wat gebeurd is. Het is hoe dan ook een ramp en er moet iemand opstaan om te protesteren, vind je niet?'

Nu stond ze hem lichtjes verbaasd en spottend aan te kijken. T voelde zich beledigd en beschaamd, maar hij wilde niet van haar zijde wijken, nu hij haar gevonden had. Hij vroeg zich af hoe ze *werkelijk* geurde, waar haar lijfgeur, haar zweet, haar poriën naar geurden, maar dat kon hij natuurlijk niet vragen (en misschien ook nooit meer achterhalen, zoals men er ook nooit meer kon achter komen hoe iemand in de Pruisentijd of de Oertijd geurde), dus zei hij: 'Kijk, daar beneden denken ze er net zo over als ik.'

Hij knikte naar de jongeren en groene rakkers

die zich met vlaggen en megafoons hadden verzameld op de trappen om te protesteren, om de
stank als het ware te omarmen en samen sterk te
zijn tegen de werkelijke vijand: de overheid. De
andere onzichtbaren.

'Wil je naar beneden gaan en mee betogen?'
vroeg hij.

'Als jij wilt,' zei ze. 'Weet je, de stank kan ook
een zegen zijn. Hij filtert al de rest weg. Hij cijfert
alle ballast weg, en herleidt alle andere stank tot
één geheel.'

'Dat klinkt me vrij communistisch in de oren,'
zei T, maar hij voegde er raadselachtig glimla-
chend aan toe: 'Maar het idee heeft wel iets, zoals
jij het zegt.'

'We zijn nu eenmaal omgeven door de stank.
Er is geen ontsnappen aan. Ik bedoel maar: hij
kan ons ook verbinden en samen sterk maken,
als een bindmiddel, snap je? De levensadem van
een commune, zoals we hier in de stad ook niet
gewoon zijn aan de stank van verse mest op de
weilanden. We stoten zo'n stank af terwijl we eigenlijk weten dat hij gezond is.'

'Straks ga je nog zeggen dat deze stank ook gezond is?'

'Wie zegt dat het ongezond is?'

'Het ruikt hier alleszins niet naar mest,' zei hij.
'Ik weet niet naar wat het wel ruikt, ik heb er geen
woorden voor, maar het ruikt alleszins niet gezond.'

'Ik zeg alleen maar: de stank doopt ons allemaal onder in één bad. Ik weet hoe ik ruik als ik ga lopen of als ik me drie dagen niet gewassen heb. Nu hoef ik me dat zelfs allemaal niet aan te trekken. Er is een barrière weggevallen, een norm. Het is een bescherming, een vacht, zo zou je het ook kunnen zien.'

'Ik had wel eens graag geweten hoe je rook. Zonder stank.'

Ze lachten naar elkaar en namen ondertussen de lift naar beneden, naar de betogers. Zij tegen zij stonden ze stil en lieten zich naar beneden brengen, en even raakten hun vingers elkaar aan.

'Als je het zo bekijkt, kunnen we gewoon in elkaar opgaan en elkaar neutraliseren. We worden één door de stank. We ruiken elkaar niet eens.'

Het belletje vertelde triviaal dat de lift was gearriveerd en voor ze uitstapten nam hij haar hand en vroeg: 'Wat voor meisje ben jij eigenlijk?' Hij zei het zachtaardig en met een glimlach, die zij beantwoordde.

'Ik studeer filosofie,' zei ze. 'Ik ben de eerste van de familie die aan de universiteit gaat studeren. Mijn vader werkt in een verffabriek, meestal 's nachts.'

'Je denkt hier hard over na, hè?' vroeg hij.

'Ik wil wel eens weten waar die stank vandaan komt,' zei ze. 'Jij wil toch ook weten hoe een nieuwe stroming is ontstaan? Dat gebeurt niet zomaar, van de ene dag op de andere. Het is een proces, een organische, langzaam ontwikkelde samenstelling. We weten dat hij er is en we weten dat hij voorlopig niet weggaat. Wat maakt het uit wie de schuldige is en wie er welke waarheid achterhoudt? De oorsprong interesseert me veel meer. Het begin, waar alles begon. Hoe komt zo'n stank tot stand? Wat lag er aan de bron? Is het gebeurd zoals bij de oerknal, met een klein lichtdeeltje of een atoom?'

T was sprakeloos. Ze gingen allebei op in het lawaai en het gejoel van de betogers die een paar spandoeken hadden meegebracht met daarop slogans zoals: "Het stinkt, maar de regering stinkt nog veel meer!". Het leek niet eens een protestbeweging tegen de stank in se; de stank werd aangewend als excuus, als metafoor voor alle andere problemen die ze op die manier konden aankaarten. De stank als vlag.

T bleef naast de jonge filosofe staan, trots bijna dat hij aan haar zijde mocht postvatten. Misschien was dit het begin van een nieuwe revolte, een 1968-2.0. Op één dag tijd was hij veranderd. Terwijl hij de vorige dag nog de stank van zich wilde wegslaan, met een waaier, zoals vrouwen in de gegoede kringen in de middeleeuwen de stank van de alledaagsheid van zich afsloegen, wilde hij zich nu net hullen in de warmte van de stank. De stank als mantel der liefde die hij met veel plezier over zijn koude lichaam drapeerde. Hij wilde zich erin wentelen omdat de stank hen had samengebracht. Meer nog, het was een capsule, een glazen bol waarin zij als miniatuurfiguurtjes, de enige twee mensen op de wereldbol, vrolijk naast elkaar stonden. De stank was zo *over the top* en bovenaards, dat hij zich ineens in een sprookje waande. Een onwerkelijke wereld waarin alles kon, met name ook de liefde bedrijven met dit meisje. Een platte romanticus zou zeggen dat de stank het symbool van hun liefde zou kunnen zijn. Als hun kinderen later, veel later, als - áls - de stank ooit weer verdwenen was, zouden vragen waar hun vader en moeder elkaar hadden ontmoet, dan zou hij op weemoedige wijze kunnen terugdenken aan het moment dat ze stonden te betogen op de trappen van de bibliotheek. Niet omdat er rassenrellen waren uitgebroken zoals in de vorige eeuwen of omdat ze niet akkoord gingen met de kernkoppen, neen, ze hadden elkaar ontmoet niet ondanks, maar dankzij de stank.

'Ik wil je wel helpen,' zei hij plots.

'Waarmee?'

'Als je wil achterhalen waar hij vandaan komt,' zei hij. 'Het kan een avontuur zijn. Zoals de zoektocht naar de oorsprong van vuur of het internet.'

Vanaf dan zag T het als zijn missie, zijn opdracht en roeping om meer te weten te komen over de stank. Als er ooit een thesis over geschreven moest worden, zou het wel door hem gebeuren. Na het afscheid en de belofte dat ze elkaar de volgende dag weer zouden zien, was hij zo van de wereld dat hij de vernissage van K, zijn lerares kunstgeschiedenis, was vergeten. Hij liep als een dolle dwaas door de straten naar huis, zigzaggend, en zat er zelfs niet mee in mocht de politie hem oppakken omdat hij gezondigd had tegen de avondklok. Neen, integendeel, hij wilde ervan profiteren, de stank proeven. Met open armen bleef hij midden op een plein staan, toen de nacht al gevallen was, en smeerde er zich mee in. De stank als zalf. Hij ging op in het landschap van de stad en hapte alles in, met een gretigheid die gevaarlijk was. Smoor- en doodverliefd was hij, zozeer dat hij de stank bijna dankbaar was. Hij nam zich voor om zich de volgende dag zeker niet meer te wassen. En dacht: dat doen jonge meisjes ook als ze het bezwete T-shirt van hun rockidool tijdens een concert hebben aangeraakt.

Dat was trouwens een belofte geweest die ze samen hadden gemaakt. De zuiverheid en de puurheid van hun ontmoeting en liefde zouden zich uiten in hun eigen vuilheid. Ze zouden alles op hun beloop laten, de stank op die manier uitdagen, en zichzelf verliezen, letterlijk zichzelf wegcijferen en laten opnemen door de stank, dat grote, donkere wezen dat er zo dreigend uitzag, dat ze bijna zouden vergeten dat het ook wel eens een unieke openbaring kon zijn.

De schilderijen aan de muur in het atelier hingen er nog altijd, net als de stank. Maar zij hadden verloren. K had zich opzettelijk opgesteld als doemdenker, maar had stiekem toch wel verwacht dat er een of twee werken zouden worden verkocht. Na de receptie en het welkomstwoord had ze haar ronde gedaan, van kliekje naar kliekje zwervend, niet thuis op haar eigen feest. Op een bepaald moment drong het tot haar door - toen ze haar tweede lege glas champagne op een plateau neerzette en op zoek was naar een volgend - dat het niet de stank was die haar zo chagrijnig had gemaakt. Het waren de mensen rond haar. Ze zag de oppervlakkigheid en moest de ongemeende complimenten aanhoren, als vanouds.

'Ze zijn echt mooi,' kreeg ze meer dan eens te horen. 'Je kindjes.'

Ze had zin om ze toe te snauwen dat het niet haar kinderen waren, maar slechts vormen en figuren op papier en zelfs dat niet eens. Het waren overblijfselen, vage vlekken en vlakken die niets te betekenen hadden zonder context, maar toen besefte ze dat ze die draaimolen zelf op gang had gezet. Zij had die weerspiegelingen van haar ziel uitgeroepen of omgedoopt tot 'haar bastaardkinderen'.

'Ze zijn niet echt mooi,' wilde ze zeggen. 'Ze zijn lelijk, donker, triestig en gemeen. En het zijn zeker niet mijn kinderen.'

Maar dat kon ze niet zeggen, want de vernissage was ook in een ander opzicht een regelrechte mislukking. Niet alleen de stank had de bezoekers met open armen verwelkomd, ook de echte kinderen waren een slag in haar gezicht. Ze huppelden rond, knikkerden met de borrelnootjes op de vloer, schraapten de oude verf van de ramen, en één keer stonden ze zelfs op het punt om een van haar werken te bekladden met de cocktailsaus die naast de stukjes wortel en bloemkool lag te niksen.

'Ach, laat ze maar,' zei ze tegen de grootvader, een man wiens vrouw in het ziekenhuis was opgenomen en van wie men zei dat ze Alzheimer had (de vraag was: kon de stank ook de ziekte de baas?). 'Ze zullen er misschien wat meer kleur in brengen. En zo zal ik er misschien toch een of twee verkopen.'

Maar ze meende wat ze zei. Er waren een paar nieuwsgierige bezoekers die wel eens wilden weten hoeveel zo'n zwart raam eigenlijk waard was. K zei dat er een catalogus was waarin men de werken, inclusief de prijs, kon bekijken. Dan zag ze meestal in de blikken, vanaf afstand, hoe gechoqueerd de mensen waren bij het lezen van het prijsetiket. Alsof een stukje ziel niet veel hoefde te kosten. Natuurlijk had ze de prijs met opzet zo hoog opgedreven dat er wel geen enkel werk verkocht zou worden. Het was een vorm van zelfkastijding, haar prijs voor het zelfmedelijden.

'Hoe kom je er toch op?' vroeg een vader die

de hand van zijn zoontje vasthield en hem de les spelde omdat hij limonade op de grond had gemorst.

Of: 'Wat zie jij erin? Ik zie er zoveel in dat het me bang maakt.' Maar als K dan vroeg wat ze erin zagen, antwoordden ze: 'Ik durf het niet te zeggen. Het is zo beangstigend.'

De stank kwam die avond bijna niet ter sprake. Ook K begon er bewust niet over, al zag ze de bezorgde blikken bij de ingang. De stank was ondertussen een soort gemeengoed geworden. Er werd al zoveel over gesproken, dat het de evidentie zelve was geworden. Het had zich behendig naast het cynisme en het kapitalisme van deze tijd genesteld. Bovendien was dit haar avond.

Er was natuurlijk geen enkele kunstcriticus aanwezig - er was zelfs maar één leerling van haar komen opdagen - maar toch was er iemand die durfde te verkondigen: 'Weet je, je werk past eigenlijk fantastisch goed samen bij die stank. Wat wij de hele dag moeten ruiken en inademen, wordt hier in één beeld vastgelegd voor het oog. Heb je daar speciaal aan gedacht, om het een gezicht te geven en te verpersoonlijken?'

K wilde zeggen dat de werken al een jaar oud waren, nog voor de wereld was veranderd, maar iets in zichzelf zei dat het beter was te zwijgen. Waarom niet? Misschien kon ze wel meedrijven op de golf of de hype die de stank had teweeggebracht. Ze kon er misschien wel nog munt uit slaan, als het lot een beetje hielp. Maar keer op keer werd haar aandacht weggetrokken van de doeken en de stank naar de kinderen die te veel kabaal maakten, die haar op de zenuwen werkten en die ze eigenlijk het liefst van al uit haar atelier wilde verbannen.

Het is de stank van mijn eigen baarmoeder, dacht ze toen ze even alleen was en in de spiegel van haar ziel keek, oog in oog met haar *pièce de resistance*, een ronduit obsceen onbetaalbaar stuk verdriet.

'De rottende geur komt rechtstreeks uit mijn buik. Het is de stank van de gemiste kansen, van de ijdelheid en van de hybris. Mijn god, te denken dat ik ooit een echte kunstenaar zou worden met deze belachelijke panelen. Een van deze kinderen had het beter kunnen doen.'

Echt waar, ze wendde zich vol verbijstering en weerzin af van haar eigen werk, probeerde niet te laten merken dat ze zo teleurgesteld was en ze zich liever wilde laten verstikken door de stank. Nu was ze weer moederziel alleen bezig de lege, vuile glazen af te wassen in de gebarsten wastafel die ze doorgaans gebruikte om haar verfborstels en bekers in te spoelen. Ze hadden haar helemaal alleen achtergelaten met de Laatste Bezoeker, die haar als een beschermengel, een oude vriend, gezelschap hield. De werken aan de muur leken daarmee tot leven te komen. Ze leken te bewegen, een geur af te scheiden die haar zou moeten troosten.

Ze waren allemaal wat vroeger dan normaal naar huis gegaan. Sommigen riepen de recent ingevoerde avondklok als excuus in, anderen hadden het lef om de stank zelf als schuldige aan te wijzen.

'Weet je wat ik denk?' zei een van de laatste gasten die heel even leek te twijfelen of hij niet in een van die donkere gaten zou kruipen. 'Ik denk aan radioactieve straling die uit de lucht naar beneden valt. Zure regen, dat is wat ik denk. Dat stinkt toch ook, neen?'

Maar de stank kon K tegen dan allang gestolen worden. Ze werkte de laatste gasten snel haar atelier uit, onder het mom dat alle drank op was, zodat ze alleen kon zijn waar ze hoorde te zijn. Aan de rand van de maatschappij, in de loopgracht, in de modder, in het slijk der aarde. Ze stond net met een lege fles champagne in haar handen toen het tot haar doordrong: 'Godverdomme, jij bent er echt, hè? Jij bent er wél echt. Wie of wat kan er nu tegen jou op?'

Halfdronken was ze toch nog voldoende bij haar verstand om te merken dat ze de stank aansprak, als een persoon. Dramatisch stak ze de fles uit en wees naar de mislukte dode materie die maar niet genoeg tot leven was gekomen om deze avond tot een succes te maken. Spreken tegen een denkbeeldig vriendje dat zich met opzet had verstopt in het bijzijn van de anderen, maar nu doodleuk weer tevoorschijn kwam. Puur pesterij.

'Jij bent er gewoon, te nemen of te laten. Al-omtegenwoordig. Driedimensionaal, een onmiskenbaar gegeven dat de wereld bepaalt en dat de mensen raakt.'

Wanhopig vroeg ze zich plots af waarom de stank dan ook niet gewoon haar werk had aangetast, aangeraakt, zoals een heler met het topje van zijn vinger soms een mens kan genezen. Waarom, als de stank dan toch door de ramen binnenkwam in elke huiskamer, waarom was ze dan niet doorgedrongen van de dode materie die zij met man en macht tot leven had proberen wekken? Volkomen op liet ze zich gaan in opperste zelfmedelijden. Ze ontstak in een vlammende woede en gooide in één beweging de fles champagne aan diggelen tegen het voornaamste werk.

'Jij bent echte kunst,' stamelde ze tegen de stank. 'Daar kan ik niet tegenop. De natuur is te sterk.'

En moedeloos zakte ze door de benen, gleed uit over de smurrie op de vloer, de restanten van haar verf, die zich hadden vermengd met de verpletterde chips en borrelnootjes, stukjes groenten en haar zachte tranen. Voor ze de black-out kreeg, had ze nog de stelligste indruk dat zelfs haar tranen stonken als de pest, de smaak van de bittere nederlaag, de vernedering en de ontbering. Veel tijd om hysterisch te worden en haar eigen werk te bekladden met het resultaat dat de stank doorgaans bij mensen teweegbracht, had ze niet. Ze viel snel in slaap en droomde over een wereld waar de stank nog niet aanwezig was, niet beseffende dat het weinig uitmaakte, aangezien een mens in dromen ziet en hoort en tast, maar weinig of niets ruikt.

De stank had in de verffabriek alle machines lam gelegd. In de kantine zat N, samen met de rest van zijn makkers, in het holst van de nacht, te kijken naar een herhaling van het nieuws waar de weervrouw de stank besprak. Waarom de weervrouw er precies als expert werd bijgehaald, was een raadsel, even groot als de boosdoener zelf. Ze presenteerde voor een scherm, een kaart van het land, van het continent en ten slotte ook van de hele wereld, en wees met een pincet naar de sterke stroming. Ze had het over een oprukkende veroveraar, de ingenomen gebieden werden geel getraceerd; en het wás ook een onvoorziene opmars, want drie vierde van de wereld was al veroverd. 'Zoals we kunnen zien drijft de geur mee op een zachte zuidwestenwind, aangevoerd vanuit de Atlantische Oceaan. Het is afwachten hoe de zaken evolueren als we in dit hogedrukgebied komen.'

N zat met zijn gedachten al ergens anders toen de vooruitzichten voor de rest van de week in kaart werden gebracht. Er was geen sprake meer van zon, regen, wind, temperatuur of zelfs hoge of lage UV-waarden. De weervrouw overliep, frivool, want ze zou haar baan zeker niet verliezen door deze dwarsligger, de dagplaten. Er werd vooral gekeken naar het percentage van de laagste waarden. Op sommige dagen, zoals maandag en dinsdag, zou de stank eerder als een dichte mist laag over de grond blijven hangen, op andere dagen, meer naar het weekend toe, sprak zij over een zachte stijging van 'stankwaarden', die zich wel hoger in de lucht zouden bevinden.

'Dat doen ze alleen maar om meer mensen naar de zee te lokken,' zei N misnoegd. 'Het is gelogen. Alsof de stank daar minder aanwezig zou zijn.'

De weervrouw besloot haar 'stankpraatje' met een opsteker: 'Het ziet er dus naar uit dat we toch nog zullen kunnen profiteren van een kleine nazomer, zeker aan de kust. En vergeet niet: het stinkt, maar het weer stinkt niet!'

Een collega stond op om het kanaal te veranderen, maar overal waren mensen te zien die het ofwel over de stank hadden, ofwel al door de stank aangetast waren.

'Heb je ook zo de indruk dat iedereen er slechter uitziet?' vroeg men in de kantine.

Ze bedoelden de presentators, de reporters, de politici, de gezichten die op de televisie verschenen, zagen er nog grimmiger en grauwer uit dan normaal. In dit geval leek de camera de mensen niet aan te dikken, maar eerder te verdunnen. N zag op de kanalen dat de wereld deed alsof er niets aan de hand was, en waarom ook niet? Waarom zouden ze zich niet doorheen dit euvel kunnen worstelen, als ze ook al zovele andere crisissen en oorlogen hadden overwonnen? De stank had ook voor een paar kleine lichtpuntjes gezorgd. Het conflict in Noord-Afrika, de burgeroorlogen en de opstanden tegen dictators lagen even stil, alsof de opstandelingen gekneveld op de bank zaten, buiten het veld waar de actie zich afspeelde. Afgelast door 'externe omstandigheden'. Er waren verschillende wapenstilstanden en staakt-het-vuren afgekondigd. Het had plots geen zin meer om te vechten tegen elkaar; samen sterk was de leuze, er was maar één vijand en dat was de stank, al kon je je afvragen of het niet beter was één grote vijand te hebben dan honderd kleine.

N zag op een andere zender een bioloog verklaren dat de stank geen invloed leek te hebben op de natuur, de bomen, de flora, het water en de dieren.

'De natuur en de aarde blijven buiten schot. Ook de dieren lijken er geen last van te hebben. Dat is te begrijpen aangezien zij al veel eerder te maken hebben gekregen, dagelijks, met een bepaalde stank. Het zijn alleen de mensen die hun leven verstoord zien door...'

N stond op en zag dat het tijd was voor zijn afspraak bij de directeur van de fabriek. Hij liet zijn collega's achter met een laatste bericht over het wel en wee van een voetbalwedstrijd die toch in laatste instantie werd afgeblazen, ondanks de aanwezigheid van duizenden supporters die de sjaals van hun favoriete team voor de mond hielden. Er werd blijkbaar even gesuggereerd dat ook de spelers het veld zouden oprennen met een dergelijke sjaal, maar dat plan was alsnog afgeblazen.

'We willen de wereld ook weer niet voor schut zetten,' was het commentaar van de voorzitter van de voetbalbond. 'Het mag niet te absurd worden. Bovendien nemen we hetzelfde standpunt in als tegenover het hooliganisme of een streaker die het veld komt opgelopen. Negeren is de beste zaak. Onze mening is: niet in beeld brengen anders lijden wij gezichtsverlies.'

Onderweg naar het kantoor van zijn eigen baas, bedacht N dat het allang dat punt was gepasseerd. De absurditeit en hilariteit had men allang achter zich gelaten. Dat merkte hij ook toen hij na het kloppen het kantoor betrad en de directeur met een puffertje in de hand achter zijn bureau zag zitten.

'Kom binnen, ga zitten, beste man,' verwelkomde hij hem. 'Wil je ook een puffertje? Het helpt niet veel, maar alle kleine beetjes... Ik heb het gekregen van een neefje dat astma had, maar er net vanaf was, toen de epidemie uitbrak.'

De directeur leunde achterover en nam er het dossier bij. N keek rond en zag dat er niet veel was veranderd sinds hij de laatste keer binnen was gestapt. Alleen de pregnante geur van de dikke sigaren die de directeur vol trots en enigszins hooghartig rookte, was verdwenen. Die sigaren lagen nu netjes in een houten kistje op de hoek van het bureau. Begraven in minuscule doodskistjes.

N's blik bleef er iets te lang hangen, de directeur zag het en zei: 'Ik ben gestopt met sigaren te roken, als je dat wilt weten, beste man. Je denkt misschien: als er één tijd is om die dingen te roken, dan is het nu wel, niet omdat het het einde van de wereld is, maar omdat het als een buffer zou dienen tegen die verdomde stank, maar ik zal je eens wat zeggen. Ik kon het niet verdragen dat die stank er zich in mengde. Ze smaakten me gewoon niet meer, die sigaren. Ze waren maar vaag meer te roken en te ruiken, en dan bewaar ik ze liever voor de dag wanneer die stank zal verslagen zijn.'

Hij stak het puffertje als een ziekelijk jongetje in zijn mond en haalde diep adem. Het leek N ineens een hele andere kwestie om met een infantiel de verdere toekomst te bespreken.

'Je weet ongetwijfeld wel al waarom ik je heb laten komen. Het betreft je sollicitatie voor de baan van adjunct-supervisor. We hebben je dossier doorgenomen en de personeelsdienst heeft er zich over gebogen.'

Het puffertje lag in zijn hand. N keek ernaar en kreeg door de spanning de neiging om het uit zijn handen te graaien en ook te gebruiken.

'Ik wil dat je weet dat we niet over één nacht ijs zijn gegaan. We hebben alles gewikt en gewogen, maar zijn tot de conclusie gekomen dat het op dit moment geen goeie zet zou zijn om jou deze baan te geven.'

Ze zaten nu allebei zonder stof, en enkel de stank gaf antwoord, een tapijt vol drek dat over hen beiden werden neergegooid.

'Mag ik vragen waarom?' vroeg N.

'De timing,' zei de directeur. 'Kijk om je heen. Of liever: ruik eens om je heen. Je ziet toch dat de wereld vergaat? We kunnen momenteel geen belangrijke beslissingen nemen. We weten zelfs niet eens of dit alles van voorbijgaande aard is of niet. Indien niet, zal de wereld er helemaal anders uitzien. De mensen zullen misschien geen verf meer nodig hebben omdat ze zich zullen verwaarlozen in de grijsheid van hun bestaan. Of in het andere geval zal de vraag misschien net enorm zijn. De bestellingen kunnen ook binnenstromen van mensen die de verf ook voor andere doeleinden willen gebruiken. Junkies die zullen snuiven zoals ze vroeger aan de lijmstok of een alcoholstift zaten, zoals ik met dit onnozel puffertje bezig ben.'

N kon moeilijk inschatten of de directeur de waarheid sprak. Maar hij herinnerde zich wel dat hij als puber vaak aan de lijm zat, een rustige drug, en hij dacht met weemoed zelfs terug aan de geur die hij toen zovele keren door zijn neus had gejaagd. Hij kon het zich zelfs niet eens meer voorstellen.

De directeur ging verder met zijn betoog: 'Je ziet, we moeten afwachten. Ik wou je dat toch even meegeven. We willen geen overhaaste beslissingen nemen. Bovendien denk ik dat je wel andere bekommeringen aan het hoofd hebt dan een nieuwe betrekking, is het niet?'

Net niet, dacht N, maar hij zei het niet hardop. Het vooruitzicht op een nieuw perspectief, een nieuwe toekomst zou hem net afleiden van de hedendaagse problematiek.

In plaats daarvan vroeg hij: 'Maar als ik het dus goed begrijp is de positie wel vacant als deze hele zaak weer is gaan liggen? Begrijp ik dat goed zo?'

'Wel, het is te zeggen,' begon de directeur. N zag dat hij een van zijn sigaren wilde nemen en opsteken, een oude gewoonte om zich in te dekken en te beschermen, een gebaar om zich achter weg te steken, maar hij hield zich in. 'Om eerlijk te zijn, zelfs al gaan we straks wel door met de creatie van die nieuwe positie, dan nog weet ik niet of jij de aangewezen persoon bent om ze in te vullen.'

N zat klaar om de directeur naar de keel te vliegen en hem toe te riepen: rot in de hel. Maar ze zaten allebei al in de hel. Hij had de stank aangewend als excuus, niets meer, niets minder.

'Waarom niet?'

'Ik denk niet dat je de kwalificaties hebt, en dat weet je zelf ook wel. Je hebt wel tonnen ervaring en bagage, maar je hebt geen diploma, zelfs niet voor deze technische functie, en we weten allebei dat je ook al over de vijftig bent.'

De directeur keek hem aan, het puffertje als een fopspeen tussen zijn lippend hangend.

'Dat maakt ook een verschil in verloning. Ik hoef je dat toch niet uit te leggen.'

Later, nadat N het kantoor alweer had verlaten en even, heel even, had gedacht dat hij met het dichtslaan van de deur ook de stank definitief achter zich had kunnen laten, was hij erachter gekomen dat de baan wellicht naar een goeie kennis van de directeur zou gaan, gesteld dat de stank zou verdwijnen.

'Wel, ik hoop van harte dat ze nooit weggaat en hier blijft tot het einde der tijden,' zei N die avond tegen zijn vrouw. 'Weet je wat? Toen ik uit dat kantoor kwam, rook ik het zelfs niet eens meer. Het leek wel alsof het allemaal was verdampt, in rook opgegaan. Net als mijn hoop. Mijn toekomst. Het hield me niet meer bezig.'

Maar het gemis, de gemiste kans op de baan, dat hield hem wel degelijk bezig. Hij ijsbeerde door de keuken.

'Dat kunnen ze je toch niet maken,' zei zijn vrouw. 'Had je niet gezegd dat ze je die baan beloofd hadden?'

'Een woord betekent niets meer vandaag,

schat. Ze steken het op de stank. En de beslissing is gemaakt. Ze is er, te nemen, zelfs niet te laten. '

'Kun je het niet meer aanvechten? De vakbond inschakelen?'

'De vakbond? Die hebben momenteel hun handen vol met die stank aan te vechten. Iedereen probeert zich ofwel te verschuilen achter die rotgeur of ze te misbruiken voor andere doeleinden. Neen, ik sta er alleen voor, en het ziet ernaar uit dat er niet onmiddellijk veel beterschap op komst is.'

Hij nam zijn klaargemaakte paëlla uit de diepvriezer en gooide de hele rommel rechtstreeks in de vuilnisbak, bij het andere restafval dat hij niet langer kon plaatsen. Het was zelfs geen afval meer; het had geen geur meer, was volledig geneutraliseerd. Het waren bijna dingen geworden, naamloze dingen, zoals ook hijzelf geen eigen lijfgeur en identiteit meer had. Het was allemaal één pot nat geworden, met de stank die als algemene saus over het goedje heen was gesprenkeld. Hij zag het als een grote stinkende brij, een op de maag liggende verzuurde roomsaus die alle andere ingrediënten versmoorde en verdronk.

Hij dacht er even aan om met zijn vrouw naar een restaurant te gaan en zijn verdriet en teleurstelling te gaan verdrinken en weg te eten, maar zelfs dat ging niet meer. De laatste keer dat hij dat had gedaan, had de stank zich ook al netjes een tafeltje toegeëigend, helemaal in de hoek van het restaurant, met de rug tegen de muur, en had hij schaamteloos de hele ruimte ingepalmd, zoals Magere Hein in goedkope B-films de gasten een voor een op de schouder kwam tikken om ze mee te nemen naar het hiernamaals.

Het nieuws deed de ronde dat de stank nu niet alleen was blijven hangen; het leek erop dat dit niet zomaar een passage was. De stank had zich *gesetteld*. Samen met de warme lucht van de nazomer keek hij tevreden op de wereld neer, alsof hij trots was op de nieuwe wind die hij vertegenwoordigde.

N staarde door het raam naar buiten en zag een zonnebloem aan de overkant in het weiland staan, zachtjes dansend in de zomerwind. Die hield stand, wist hij, maar het was zoals ze zeiden: de natuur leed er niet onder, maar ze kon er ook niets tegenover stellen. Ze kon de mensheid niet helpen; de mens stond er alleen voor. Er was geen remedie tegen de stank, geen insecticide was krachtig genoeg om hem te bekampen.

'Weet je, dit is de eerste keer dat ik echt op patrouille ga,' zei de agent die naast de bestuurder in de politiewagen zat, de megafoon van een circusdirecteur op de schoot. Het was niet anders dan in een Amerikaanse actieserie waarbij ze de straten afschuimden, op zoek naar het gespuis van drugsdealers, pooiers en hoertjes. Op het kantoor waren, zoals overal elders in het land, klachten binnengekomen van mensen, tipgevers die anoniem belden en 'mensen' verklikten. De stank zou afkomstig zijn van een clan vreemdelingen.

'Er is iets aan de gang bij de moskee,' zei de stem uit de radio.

'We gaan erop af,' zei de jonge agent die E heette.

Hij gaf door wat zijn overste, de brigadier, allang had besloten. De bestuurder draaide aan het stuur en zette koers naar de moskee waar volgens de informatie een groepje punkers en neonazi's waren verzameld, met toortsen om de boel in de fik te steken, alsof ze daarmee de stank konden verjagen. Alles op het grote haardvuur zoals men een eeuw geleden ook de cultuur en intelligentie wilde wegbranden.

'Vergeef me de onnozele woordspeling,' zei de tweede agent, een vrouw van boven de vijftig al, 'maar dit stinkt niet alleen, het ruikt ook verdacht veel naar extreemrechts gedachtegoed. Straks gaan ze nog de huisnummers merken en de schoorstenen verstoppen om de stank zogezegd tegen te houden.'

Vreemd genoeg hadden de straten er nog nooit zo *clean* uitgezien. Met de wandelaars waren ook het papier, het afval, de blikjes, de flessen en al de rest van het vuil verdwenen. Maar toen ze de straat indraaiden waar de moskee sinds drie jaar

was opgetrokken, met het oog op een multiculturele samenleving (de multiculturele samenleving
die niet was mislukt, zoals een politicus verkondigde, maar die er gewoon was, niet te negeren,
zoals de Anderen) botsten ze plots op al het opge-
hoopte geweld. Door de voorruit zag de vrouwelijke brigadier een groepje van vijf lederen jassen
met verfborstels de gevel van de moskee bekladden. Hun haar was zo kort geschoren dat ze zich
op die manier leken in te dekken tegen de luizen
die de stank zou teweegbrengen.

'Wat doen we? Wachten op back-up?' vroeg E.

Het kantoor werd met elke andere arrestatie of
verhoor wel ondergedompeld in een andere pot
inkt, maar nu, met de stank, was alles vervaagd.
In zekere zin liet de stank een paar stukken van
de puzzel in elkaar vallen. Koffie hoorde nu eenmaal slecht te smaken op de recherche, de cellen
van voorlopige hechtenis hoorden nu eenmaal te
stinken naar de goot en naar de misdaad. Aan de
andere kant werd het door de stank steeds moei-
lijker om de gradaties van misdadigers te onderscheiden.

'Heb je je wapen bij je?' vroeg de vrouwelijke
brigadier. 'Hou je maar klaar. We gaan even een
praatje maken.'

Samen stapten ze uit de dienstwagen en be-
gaven zich naar de moskee. Een paar allochtone
jongeren stonden op de stoep klaar om op eigen
houtje in te grijpen, maar bleven nog even ver-

stomd staan, alsof ze niet konden vatten dat het spel zo hoog gespeeld werd.

'Wat moet dit hier?' vroeg E nadat hij zijn badge had getoond. 'Schending van de openbare orde?'

De spuitbussen die werden gebruikt om de muur van de moskee te bekladden, hadden nog slechts een vage geur van rebellie en anarchie. Een van de punkers probeerde de stank in een 'masterpiece' te vatten, door één grote wolk te spuiten, in de vorm van een tekstballonnetje waarin stond te lezen dat vreemdelingen moesten opkrassen.

'De stank als vlag van de eigen identiteit,' fluisterde de vrouwelijke brigadier haar jongere agent in het oor. 'Eigen stank eerst.'

'Zij zijn verantwoordelijk voor die stank,' zei een van de rebellen. 'Het is zo. Deze straat is van ons, zij komen de hele wijk inpalmen en vervuilen.'

'Wat hebben zij te maken met de stank?' vroeg de brigadier.

'Die moskee is hier vorige week pas ingehuldigd. Een paar dagen later kregen we te maken met dit, die stank. Je ruikt dit toch, neen?' zei de leider van het groepje. Hij wees met een spuitbus in de hand naar de gevel, een gevaarlijk gevaarte volgens hem. 'Er moet toch iemand verantwoordelijk zijn voor deze shit?'

'En jullie denken dat het zo makkelijk is?'

Ook de andere partij, de allochtone moslims, kwam op hun strepen staan. Zij hadden geen spuitbussen, maar andere argumenten die al even belachelijk waren.

'Zij zijn het die de stank verspreiden. Ze gebruiken het als traangas of een waterkanon om ons van de straat te houden en om de buurt zogezegd veilig te houden. En dan steken ze zich nog eens weg achter datgene waarmee ze zelf de strijd zijn aangegaan.'

Bijna kwam het tot een handgemeen, toen een van de punkers een spuitbus wilde gebruiken als wapen, maar E was er gelukkig snel bij en probeerde de gemoederen te bedaren. Zoals het ernaar uitzag, probeerden beide groeperingen van elkaar het gevreesde stinkdier te maken.

Later op de dag, toen het conflict tijdelijk was opgelost door opschorting, reed de politiewagen langs de vele panelen waarop de vrolijke gezichten van gemeenteraadsleden naar hen glimlachten. Met de verkiezingen in zicht speelden de statige en vaak gekunstelde stemmen gretig in op de angst en de terreur. De boodschap van de overheid was duidelijk: 'Zit niet stil of de stank heeft u te pakken, doe iets. Sit and you stink.'

Tijdens de tweede Gang van het Experiment werd het ijs wat gebroken. De vijf Gasten aan de lange tafel hadden zichzelf voorgesteld en hun initialen geïntroduceerd. Na de hors d'oeuvres van de dame die zich K noemde en als kunstenares door het leven ging, was het nu de beurt aan het voorgerecht dat werd geserveerd door een gynaecologe, in dit spektakel S genoemd. Tegen dan was al duidelijk dat de genodigden zich koste wat kost zouden houden aan de opgestelde code: ondanks het spoor van de stank dat door de luchtgaten, de verwarming en misschien ook wel de gerechten zelf de bunker was binnengedrongen, zouden ze de schijn ophouden van het geluk. Paradise. *Voor het oog van de camera en een publiek van meer dan één miljard kijkers deden ze zich, volgens het contract dat ze alle vijf hadden ondertekend, voor als Uitverkorenen. In die zin waren het geen twaalf, maar vijf Apostelen, gezeten aan de moderne versie van het Laatste Avondmaal dat hier niet bestond uit brood en rode wijn, maar uit de meest exclusieve delicatessen.*

Het was S zelf die het voorgerecht serveerde in diepe porseleinen borden, met donkerblauwe Chinese tekeningen op. Het commentaar was zakelijk en kort, meer als een richtlijn of een constatering dan als een beïnvloeding. Veel meer kon men toch niet sturen. De gerechten waren klaar, te nemen of te laten.

Maar ondanks de infiltratie van de stank, weliswaar

in een veel minder hoge dosis dan in de buitenwereld, bleef men heel beleefd. Aristocraten bijna die zoals in de Franse achttiende eeuw met hun korset opzettelijk hun hart platdrukten om alle gevoelens en schuldgevoelens uit hun lijf te weren. Bovenal trokken de gasten hun servetten als messen tevoorschijn om vervolgens hun eigen dressing van schijnheiligheid te serveren.

'Heerlijk! Wat een subtiele schakeringen!'

'Een mengeling van eclatante smaken, allemaal door elkaar, maar zonder één pot nat te worden. Hoogst uitzonderlijk!'

'Mijn complimenten aan de chef voor zijn, of zou ik beter zeggen, haar talent om de afzonderlijke ingredi-enten te kunnen bewaren. Een pleidooi voor de overle-ving van het individu die vecht tegen de kracht van de samensmelting, hier zelfs heel letterlijk te nemen.'

Het was vooral de noeste arbeider N, een en al kracht, die flink zijn best deed om de gastvrouw te plezieren. Hij gooide haar om de haverklap complimentjes toe en vroeg als enige om een tweede portie, ook al was dit nog maar de tweede gang.

'Ik kan het niet helpen. Het is gewoon veel te lekker, te verslavend. Ik ben even van de wereld.'

Maar het omgekeerde was natuurlijk waar. Alle vijf wisten ze waarmee ze bezig waren: ze wapenden zich met de regels van de etiquette tegen de indringer die, zoals danseresjes zich in de jaren twintig soms verstop-ten in een gigantische bruidstaart, ook in de gerechten was geslopen. Nochtans waren alle noodzakelijke voor-zorgen genomen: van latex handschoenen, gereinigde

schorten en koksmutsen, tot en met papieren schoens-
lippers.

Men zag hoe N, de arbeider, de gastvrouw in de gaten hield wanneer ze achter hen langs passeerde om de
lege borden en het bestek weer van tafel te halen. Alles
gebeurde in opperste stilte; er werd niet gesproken, en
al zeker niet over koetjes of kalfjes.

'Over smaak valt natuurlijk niet te twisten,' zei
iemand. 'Maar hebben we wel nog allemaal smaak?
Of reageren we nu enkel op een commando, een opge-
slagen herinnering in onze eigen geest, zoals we niet
daadwerkelijk meer warme rijstpap met kaneel proeven, maar werkelijk proeven van de herinnering aan
onze grootmoeder die voor het eerst al dat zoets voor
ons klaarmaakte?'

Het waren zagerige gesprekken om de tijd en de stilte te vullen. Er hing iets heel artificieels in de lucht. Of
zoals een van de commentatoren het later - tijdens een
van de vele herhalingen - het stelde: 'De vijf vraten zich
niet vol met de meest hautaine en snobistische gerechten, alsof dat het enige voedsel was dat boven de hele
heisa stond; ze slikten vooral hun eigenwaarde en hun
laatste greintje geloofwaardigheid in.'

3

DE OORSPRONG VAN

DE STANK

"And the fish that is in the river shall die and the river shall stink, and the Egyptians shall loathe to drink of the water of the river."
- - Bible

Het hotel waar de twee jonge geliefden zich hadden ingeschreven lag op de dijk met zicht op zee. Soms stonden ze zij aan zij te staren naar het water, met koraalkleurige kraters, die zo oneindig en diep leken dat het bijna onmogelijk en ondenkbaar was dat de stank er niet zou in verdrinken. En toch bleef ze drijven als een dikke laag olie uit een gekapseisde tanker. De wereld en haar natuur voeren er beter bij want deze keer geen zwartgeverfde, te vroeg opgezette vogels of zeehonden die als donkere spionnen aanspoelden.

Ze hadden er met opzet het oudste en kleinste pension van de hele kuststad uitgekozen. De gevel was al twee eeuwen oud en viel bijna uit elkaar. De kapotte stukken pleisterwerk waren de rimpels in een stokoud gezicht. T betaalde aan een balie en merkte tot zijn opluchting dat de stank er - zoals hij verwachtte - niet zo straf was als op andere plekken.

'Er zijn dus wel degelijk onderduikadressen,' fluisterde hij in haar oor. 'Net zoals in de oorlog.'

En zo voelden ze zich ook: verzetsstrijders op de vlucht voor de overheersers, op weg naar het einde van hun wereld, op de grens, klaar om over te steken naar het paradijs.

'Het spijt ons van de stank,' zei een oud dametje dat de gerante moest zijn. 'Maar zoals u weet kunnen wij daar niets aan doen. We zitten hier in een uithoek, vergeten, als laatste in de rij als het aankomt op evacuatie en noodafkondigingen.'

'Het is niet zo erg,' zei T. Het kwam in hem op dat de eigenaars anders wel eens reclame zouden kunnen maken voor dit toevluchtsoord zodat ze straks overrompeld zouden worden.

'Kijk eens aan,' zei hij toen ze het gammele trapje opgingen naar een van de zes kamertjes. 'Dit is ons sanatorium. Zoals aan het eind van de 19de eeuw toen mensen in afzondering gingen om te genezen van psychische kwaaltjes.'

Was het slechts inbeelding of kwam hen langs de trap en in de bovenste gangen een geur tegemoet die ze wel konden omarmen van geluk? De zoete geur van melancholie en herinnering. T ging zitten in een stokoude, versleten fauteuil, terwijl D de oude vergezichten van achttiende-eeuwse vissersdorpen op het morsige dikke behangselpapier bekeek. Eén flap was losgekomen, in de hoek van het plafond net onder sierlijst.

'Waar de tijd is blijven stilstaan,' zuchtte hij. 'Ruik jij dat ook?'

'Wat?'

'De geur van verloedering.'

Hij stak de sleutel in de deur en de twee verloren gelopen tijdskinderen betraden hun kamertje dat helemaal onder het stof lag. De houten ramen waren half verrot, de deur van een kast stond half-open met vergeelde kussenslopen en een oranje stekelig deken. Alles wees erop dat dit een van de laatste buffers was. Een fort, een Atlantic Wall-2.0.

'Je moet hier eens aan ruiken,' zei zij.

Ze lag op de matras van het bed, een twijfelaar met ijzeren bedranden, hoe kon het anders, en lag met haar neus naar beneden, klaar om zich voorgoed vast te leggen tussen de veren.

'Het is precies een museum,' merkte hij op terwijl hij met een hand langs de gordijnen ging.

'Ik was bijna vergeten hoe het allemaal rook,' zei zij, op slag twintig jaar ouder geworden. 'Het gaat ook zo snel allemaal. Ik zit precies in een nieuwe wagen. Weet je nog hoe je soms misselijk werd van die geur in een nieuwe wagen? Die zure plasticgeur die uit de zetels kwam, als ze net uit de fabriek waren gerold en de inpakfolie als het ware nog maar pas was verscheurd?'

'Ik weet het,' zei hij en hij liet het raam met het zicht op de pier voor wat het was en ging nu naast haar op bed zitten, op de grootmoedersmatras.

'Dit doet me denken aan mijn grootmoeder,' zei zij. 'Mijn eerste herinnering waren puddinkjes en rijsttaartjes die ze elke zaterdag voor me klaarmaakte en in de kelder zette. De geur van warme suiker en kaneel vulde de hele ruimte en overwon alles.'

Hij sloeg zachtjes een arm over haar schouder en trok haar dicht tegen zich aan. Het stond ook mooi om hier dekking te zoeken, maar waarom was er dan niemand anders in dit hotel? Was het dan zo'n geheim? Het kon. Ofwel speelden ze slechts in hun verbeelding de rol van de twee verdoemden die ondanks alles tevergeefs wilden vechten tegen de harteloosheid van de stank.

'Maar *hij* is er nog steeds,' zei zij - en een lichte huivering liep over haar rug - en keek de kamer rond. 'Ik weet niet waar hij zit, maar hij is er nog. Hij is er altijd.'

'Het is moeilijk in te schatten of hij er werkelijk is of dat hij er is in onze herinnering. Misschien ruiken we hem nog omdat hij zo'n diepe indruk op ons heeft nagelaten, maar is hij er niet meer in levende lijve. Misschien dragen we hem wel met ons mee. Snap je?'

'Maar ik ruik nog,' zei ze. 'Als de rook van al de rest is verdwenen, komt hij weer bovendrijven. De stank is koning.'

T kon niet anders dan knikken want hij rook het ook nog altijd. Het was geen inbeelding. Het was een zachte toegeving geweest van de stank, heel even leek hij te bezwijken voor zijn ergste concurrent, de geur van de herinnering, maar uiteindelijk kon hij toch niet overwonnen worden.

'We kunnen niet anders dan eraan toegeven,' zei hij.

Hij boog voorover, nederig bijna, en had het ook nog over iets anders. Hij kuste haar zachtjes op de lippen en probeerde haar te proeven. Een overgebleven geur van koffie, chocolade of iets anders wat in haar mond was blijven hangen, maar door zoveel over de stank te spreken kon hij niets anders bedenken. Je hoorde dat sommige meisjes en vrouwen naar champagne konden smaken, maar hij sloot zijn ogen en bleef haar kussen, niet omdat hij het wilde, maar omdat hij niet anders kon om zo de verschrikking van de stank de baas te kunnen. Ze was een instant pil, een remedie, een vleesgeworden koortsremmer. En toch koortsig.

'Neen,' zei zij, zachtjes tegenstribbelend. 'Niet hier. Niet hier in dit bed.'

Hij wist wat ze bedoelde. Ook zij kon het niet aan om zich hier, op dit bed zomaar over te geven. Ze lieten elkaar los en keken elkaar even aan, plots bijna vreemden geworden voor elkaar.

'Ik bedoel, ik wil wel dat het gebeurt, maar niet hier,' zei ze.

'Ik begrijp het,' zei hij. Hij wilde zeggen: het is niet de juiste sfeer, maar bedoelde eigenlijk het juiste klimaat, zoals ministers niet in het juiste klimaat zaten om te onderhandelen.

'Er moet hier toch ergens iets zijn waarin we ons kunnen opsluiten en ontsnappen.'

Ze stond op en deed de garderobe open. Even dacht hij dat ze gek was geworden door het gas en zich daarin zou opsluiten. Straks bevond hij zich nog in een scène van een slapstickfilm waarbij ze beiden, dicht tegen elkaar, in de kast kropen, maar niet om een belager of jaloerse echtgenoot te ontlopen. Hij ging naast haar staan en snoof.

De geur van mottenballen was er nog, maar veel te zwak om iets te betekenen.

'Neen, hier niet,' zei ze.

Vervolgens ging ze verder op verkenning en stond ze in de badkamer. Hij vond haar op de oude badkuip neerkijkend, een prehistorisch ding op vier sierlijke, maar wankele pootjes. Er zaten allerlei vlekken en barsten in de badkuip, maar zij leek na te denken over het plan om brandende kaarsen op de rand te plaatsen, een cirkel te maken, een heksenkring van paddenstoelen om de stank buiten te houden. Het licht te dimmen en een offer te maken om de mensheid te redden. Maar ook dat ging niet door.

'Neen, hier ook niet,' zei ze vastbesloten.

Er was nog één enkele ruimte, het toilet dat ze op de overloop moesten delen met de andere hotelgasten. Vanuit de deuropening keek D vandaar naar T, die het begreep.

'Neen, ook niet daar.'

De stank mocht hen niet degraderen tot wilde beesten, en bovendien zou het ook daar vergeefse moeite zijn.

'Er zit niets anders op,' besloot hij. 'We zitten vast. Kunnen geen kant op.'

Verslagen gingen ze allebei weer op het bed zitten. Ondanks alles wilde hij haar toch hebben. Hij wilde haar aanraken en 'in' haar zijn. Toen daagde het hem ineens, de oplossing, de voorlopig oplossing, de schutplaats waar ze allebei konden schuilen, zij het niet voor een meteoriet of een bom. Alleen kon of durfde hij het niet onder woorden te brengen. Dus deed hij het maar. Het was een herhaling van daarnet; weer sloeg hij een arm rond haar schouders en trok hij haar dicht tegen zich aan, maar voor ze nog iets kon zeggen, zaten zijn lippen al op de hare. Zijn tong spartelde in het rond en verkende haar gehemelte.

'Het stinkt,' probeerde ze te zeggen.

'Ssst,' probeerde hij haar te sussen. 'Trek het je niet aan. Leef ermee. Laat je gaan.'

Geleidelijk aan deed ze wat hij haar vroeg. Ze sloegen er geen acht meer op, en net daardoor zette ze een stap achteruit. Hoe meer ze in elkaar opgingen en elkaar trokken, hoe heviger hun eigen lichaamsgeur en zweet tot leven kwamen en de bovenhand namen, al was dat misschien enkel in hun verbeelding. Hoe dan ook zochten ze de plekken op in elkaars lichaam, waar de holtes en openingen donker, maar behaaglijk waren. Waar ze de stank, net als het felle zonlicht, konden buitenhouden. En op die manier overwonnen ze dan toch, al was het maar voor even, datgene wat daarbuiten op hen lag te wachten.

Samen sterk in quarantaine.

Tijdens een van de volgende nachten hield men, vanuit enkele wagens die undercover surveilleerden, de twee loodsen in het oog waar verdacht veel beweging te zien was. E, de *rookie* van het gezelschap, hield zijn mond en keek toe, maar zijn vrouwelijke overste hield de hangars in de gaten. Diverse mannen in overalls waren druk bezig met koffers en paletten uit en in te laden. Ze hadden de opdracht gekregen van een zoveelste anonieme tipgever die er zeker van was dat er iets op til was.

'Het kan een deelcel zijn van een veel groter geheel. Een lokale afdeling van de terreurcel,' werd hen gezegd. 'Het is al een paar dagen aan de gang. De meeste activiteiten gebeuren 's nachts, na middernacht, er is heel wat beweging te zien.'

De vrouwelijke brigadier, die een neus had voor duistere zaakjes had zich vrijwillig aangemeld om mee te doen aan de undercoveroperatie die de codenaam SWEAT in plaats van SWAT had meegekregen.

'Wat denk je dat er gaande is?' vroeg E, in afwachting van nadere orders van de leidinggevende inspecteur die in direct contact stond met het hoofdkwartier.

'Weet ik veel, kan van alles zijn. Paniekzaaiers. Een groepering die de stank wil opeisen als hun uitvinding.'

'Hoe bedoel je?'

'Het klinkt me gewoonweg niet geloofwaardig in de oren dat de kern van de stankactiviteiten, als er al een menselijke hand met kwaadaardig opzet achter zit, zich hier in deze stad in dit land zou situeren.'

'Waarom niet? Als het zo is, dan moeten ze het toch kunnen verspreiden?'

E legde uit wat hij bedoelde; hij had eens iets gelezen over allerhande complottheorieën.

'Waarom zouden ze dat spul dan hier staan inladen?' weerlegde zijn overste. 'Als dat zo was, dan zouden ze toch wel grotere middelen inschakelen zoals vliegtuigen die ook worden gebruikt om branden te blussen.'

'Dat hebben ze misschien al gedaan,' zei E. 'Weten wij veel. Het kan toch dat ze zo'n paar vliegtuigen hebben te pakken gekregen en 's nachts het goedje over ons hebben heen gesprenkeld? Een omgekeerde blusoperatie, zeg maar.'

'Ik geloof er niet in,' zei de brigadier, de blik geconcentreerd op de hangars gericht. 'Wat het ook is, het is straf genoeg om te blijven hangen. Als ze van plan waren geweest om het dagelijks, of liever elke nacht, te moeten aanvullen, dan is dat onbegonnen werk.'

'Waarom niet?' zei hij weer. 'Alles gaat weg. Niets blijft. Ook stank moet je in stand kunnen houden.'

Ze zwegen nu. De overalls bleven de paletten met dozen in een vrachtwagen laden.

'Weet je wat ik denk?' zei ze. 'Ik denk dat onze tipgever ons aan het lijntje heeft gehouden. Hij wilde eens lekker lachen met de politiedienst.'

Ze zag dat E het raampje had laten zakken en half met zijn hoofd naar de open sterrenhemel aan het staren was. De Grote Beer was maar half aanwezig.

'De mens laat zich nogal snel meegaan in dat soort complotten,' zei ze. 'Herinner je je nog die vele ufomeldingen uit de vorige eeuw? Bleken het negen op de tien keer gewoon weerkundige meetballons te zijn. Ik zeg gewoon wat ik denk: het zou nog niet zo'n gekke gedachte zijn, een zogenaamde fantoomstank creëren, een nietszeggende en inhoudsloze waterstof die zogezegd verantwoordelijk is voor dit alles.'

'Waarom zouden ze dat doen?'

'De mens zit vreemd in elkaar, jongen,' zei ze bijna moederlijk. 'Je hebt geen idee wat er allemaal aan de hand is. Wapenwedloop, landen en naties die elkaar de loef proberen af te steken, lobbywerk, inlichtingendiensten die rebellen steunen en dan achteraf achter hun leider aan gaan. Onrust en paniek zaaien, de wereld drijft daar toch op? Blaise Pascal zei het al: alle miserie en ellende komen voort doordat de mens niet gewoon op zijn stoel in een kamer kan blijven zitten. De aard van het beestje is het. Het is allemaal één pot nat…'

Ze stond op het punt om te zeggen dat die theorie stonk, maar dat zou de geloofwaardigheid ervan aantasten.

'Bovendien denkt men nog altijd dat de mensheid gebaat is met controle. Dat wil zeggen: nooit zal men durven toegeven dat de natuur op hol is geslagen, altijd zal men de mens erin betrekken. Dat is al sinds de renaissance aan de gang. De mens staat centraal in hun opzicht. Of wat denk je dat er zou gebeuren als de regeringen bekend maken dat dit hun petje te boven gaat? Dat ze er niets vanaf weten en er geen controle over hebben? Juist ja, paniekvoetbal. De wereld zou één grote jungle worden, met plunderingen, apocalyptische toestanden zoals je soms in de grote *blockbusters* ziet. En dan moet je beseffen dat die stank niet het gevolg maar de initiële oorzaak van die evolutie is.'

'Wat heeft dit te maken met je stelling dat het een fantoomstank zou zijn?'

'Het zou de gemoederen kunnen bedaren, gezien vanuit het oogpunt van de instanties. Als zou blijken dat het van de mens komt, en niet van een onbekende oorsprong, dan zou de mensheid wel eens het idee kunnen krijgen dat het ook te controleren valt. Te onderdrukken. Snap je nu wat ik bedoel?'

De theorie leek E wat vergezocht, maar men was nu op het punt aanbeland dat alles realistisch was. De stank had komaf gemaakt met het surrealisme; het overtrof de werkelijkheid.

'We gaan ervoor,' zei de brigadier toen ze het bericht van hoger hand in haar oortje kreeg. 'Ben je klaar? We gaan ze pakken.'

Als minuscule lichtwormpjes verschenen ze beetje bij beetje, bij bosjes in de mist van de nacht. Ze kwamen uit vijf verschillende surveillancewagens op de twee hangars en de vrachtwagen afgelopen, de geweren op de doelwitten gericht. De operatie verliep vlekkeloos; ze hoefden zelfs geen waarschuwingsschoten te lossen. De verdachten lieten onmiddellijk alles uit hun handen vallen en gingen op de grond liggen, neus tegen de grond, handen op de rug. Sommige routines zouden, ondanks een ingrijpende verandering, nooit veranderen.

'Wat hebben we hier?' zei de hoofdinspecteur.

Hij liet de agenten hun werk doen en wachtte op resultaten, concrete bewijzen. Ze kropen de vrachtwagen in, haalden een paar kratten naar buiten en sneden met een knipmes de plastic folie er af. Daar, op de kade aan het zwarte water, had E het gevoel deel uit te maken van een groter geheel. Een geheime operatie binnen een nog grotere geheime operatie.

'Wat is het?' vroeg de hoofdinspecteur ongeduldig.

Er bleken een twintigtal glazen flessen in de houten kratten te zitten, netjes tegen elkaar gerangschikt, met een doorzichtige vloeistof in.

'Zie je wel?' zei de brigadier. 'Fantoomstank. Gewoon water.'

Maar toen werden de doppen er afgeschroefd; een van de agenten snoof de lucht op en deinsde achteruit.

'Wat is dat?'

De fles in kwestie werd doorgegeven tot bij de hoofdinspecteur die het topje van zijn pink even liet weken in de vloeistof.

'Parfum? Bleekwater? Wat is dit? Een of ander middel om de stank tegen te gaan?'

Er werd niet meer gesproken.

'Waarom verhandelen jullie dit goedje hier als…?'

Hij hoefde het woord niet uit te spreken. Het wás ook een drug, een drug die diende om uit de werkelijkheid te ontsnappen, om weg te zweven naar een droomwereld. Geen verregaande vorm van ontstijging omdat zelfs de strafste wietgeur de stank niet kon vergeten.

'Wat is dit?' zei de hoofdinspecteur ietwat geschrokken. 'Chemisch spul? Is dit al getest op mensen? Wie zegt dat dit niet nog ongezonder is dan datgene wat jullie proberen te bestrijden?'

'Dat is toch zo met alle mogelijke medicijnen?' opperde een van de verdachten die ondertussen gehandboeid met zijn rug tegen de vrachtwagen stond. 'Wie zegt dat al die middelen tegen Alzheimer, Parkinson en aids geen verregaande gevolgen zullen hebben? Net zoals wetenschappers ook wijzen op het gevaar van gsm-stralingen en computers. Iedereen weet toch dat alles schadelijk is? Niemand kent de consequenties. Het enige wat wij proberen, is een handel opzetten om mensen te helpen…'

'Om er geld uit te slaan, ja,' zei de hoofdinspecteur en hij gooide in een vlaag van waanzin de fles met het onzichtbare wonderserum in het water van de haven. En hoopte dat de boodschap in de fles nooit een drenkeling aan de andere kant van de oceaan zou bereiken. Zij, de gangs, hadden de stank aangegrepen als kans, als buitenkans.

'Elk medaille heeft ook een keerzijde, hè,' zei de hoofdinspecteur tegen niemand bijzonder. 'Elk probleem kent ook opportuniteiten. Er zal altijd wel iemand op deze godverdomse aardkloot rondlopen die het idee krijgt om er zijn voordeel uit te halen.'

Hij stapte op een van de verdachten af en keek de man recht in de ogen terwijl hij het order gaf aan zijn manschappen: 'Afvoeren die boel.'

'Wat moeten we ermee?' vroeg iemand.

'Vernietigen. Wat doen we met namaakmateriaal en vervalsingen? Die producten worden toch ook door de douane *en masse* vernietigd? Ik durf te zeggen dat ze hier niets meer dan een scheet in een fles proberen te verkopen.'

E had nooit begrepen waarom er zulke grootschalige vernietigingen als straf werden uitgevoerd, namaakproducten die nog liever onder de grond werden gestopt, dan te worden uitgedeeld in de derde of de vierde wereld. Maar hij begreep ook het principe: de louche ondernemers mochten nooit worden beloond en zo was het ook hier.

De uitzending werd elk uur aangevuld met items over inheemse onbekende volksstammen die midden in de jungle van Nieuw-Guinea verwonderd om zich heen keken, sommigen zelfs met een speer of schild in de hand, uitkijkend naar de lokroep van hun oppergod. Het mankeerde er nog aan dat ze voor het oog van de camera op hun knieën neervielen en met hun schilden een soort Gallo-Romeinse formatie vormden om zich tegen de woeste toorn te beschermen. De stank was democratisch en multicultureel: ze spreidde haar armen en vleugels uit, van het verre Westen tot het diepste Oosten, stationeerde zelfs als een verkenner op onbewoonde eilanden, voor het geval dat... A zag de beelden, welhaast niet te plaatsen, van een cruiseschip waar de passagiers aan de reling stonden te drummen om aan land te gaan, hopend dat ze ergens, wie weet waar, een plek op hun exotische bestemming zouden vinden waar de stank vooralsnog niet was gepasseerd. Een meute die niet meer geïnteresseerd was in uitstapjes naar de piramiden of de sfinxen, maar die zich als het ware had ingeschreven, al dan niet begeleid door een gids, voor een zoektocht naar de Heilige Graal. De Graal, een plek, die heilig was en gespaard was gebleven van het onheil.

Creatief winstbejag was de volgende stap. Allerlei organisaties en reisagentschappen hadden er een zaak van gemaakt om mensen om de tuin te leiden. Affiches en websites wezen op een mysterieuze eindbestemming - voor slechts enkele duizenden euro's per dag - die men steeds meer de Heilige Grond ging noemen. Het Beloofde Land, gezuiverd of liever nog: zuiver, onaangetast, slechts voor een zeldzaam, uitverkoren volk.

A zag het aan, vanuit zijn zetel, want hij werkte nu thuis. De mens had een andere zingeving gevonden. Er was geen sprake meer van de zoektocht naar de zin van het bestaan; men bleef niet langer stilstaan bij de ondraaglijke lichtheid ervan. Nu kwam het erop aan om het sublieme na te streven, namelijk het onvatbare, het hogere doel, in wezen van de niet-stank of beter bekend als: geluk.

Maar na een bepaalde tijd kwam het gewone leven weer op gang. A zat thuis achter zijn computer en zat ondertussen verstrengeld in het virtuele leven. Alleen daar was de stank niet aanwezig; in de koele afstandelijke nepwereld waar vrienden elkaar niet konden ruiken en met elkaar chatten zonder elkaars adem te moeten dulden.

'Ik denk dat het nu elk moment kan gebeuren, schat,' zei zijn vrouw al twee dagen lang, al had ze nog steeds geen echte weeën.

'Dat zeg je al dagen,' zei hij. 'We zullen het wel merken als het zover is.' Er was ergens een stemmetje in zijn hoofd dat zei: zolang die stank er is, zal ze niet bevallen. Echt niet. Niet in deze wereld zal ze haar vrucht werpen, het is gewoon wachten.

'Ga je vandaag nog uit?' vroeg ze vanuit bed in de andere kamer.

'Ik denk het niet,' zei hij. 'Heb je nog iets nodig?'

'Neen, maar het zou jou geen kwaad doen...'

Ze doelde op de klucht van de clochard die hij was geworden. Zijn meetspullen, stepmeter, hartslagmeter lagen allemaal in een lade, stopgezet - de tijd stond letterlijk stil nu. De robot was ontmanteld. In plaats daarvan zat een verwaarloosde vent in zijn kamerjas de stank uit te dagen door zelf ook te stinken. Hij zou er natuurlijk nooit tegenop kunnen, maar waarom zou hij zich nog wassen?

Zo ging het bij vele, zo niet de meeste mensen thuis.

'Ik denk dat je nu best belt,' kreeg hij plots van een andere stem te horen. Haar water was blijkbaar toch gebroken; de lakens waren doordrenkt en A stond op en belde de vroedvrouw. Ze had erop gestaan om een thuisbevalling te ondergaan, waarom was hem niet duidelijk.

'Ze zullen hier zijn binnen tien minuten,' gaf hij mee. 'Wat kan ik doen?'

Ze knikte pijnlijk naar het computerscherm dat haar door de deuropening bleef aanstaren. 'Je kan om te beginnen die computer uitzetten.'

'Waarom?'

'Je gaat dat ding toch niet laten aanstaan tijdens de bevalling?'

'Het is niet alsof de hele wereld zal meekijken,' zei hij.

Hij blokkeerde met opzet het scherm en zag het probleem niet. Wat hij wel zag was de website met de livebeelden van New York en de teller van de marathon die, zoals te verwachten viel, op nul was blijven staan. Het hele evenement was afgelast en op de site kwamen reacties binnen, gaande van teleurstelling tot gelatenheid. De lege straten deden hem bijna huilen van onmacht en verdriet. Ze leidden nergens heen, zeker nu hij hier als een dorre plant zat te verkommeren.

'Ze zijn er,' zei zijn vrouw steevast nog voor er gebeld werd.

Ook dat was vaste routine geworden. Met de regelmaat van de klok kwamen mensen bij hem aan huis. Bezorgers van boodschappen, pizza's, zuivelproducten en het dagelijks brood kwamen aankloppen of aanbellen, op bestelling. Het waren meestal vrijwilligers, jonge mensen die ertegenaan durfden te gaan, het soort pionnen dat je kon gebruiken en waarmee je naar de oorlog kon, zoals het spreekwoord zei. Doorgaans droegen ze gasmaskers waardoor de combinatie van aankloppen en het zicht dat zijn vrouw had vanuit het bed door het raam op de voordeur vaak nogal overdreven dramatisch en onheilspellend was. Ze kwamen 'maar' met de kaas, 'maar' met de zure melk, 'maar' met de rotte eieren. Alles was goed genoeg om de stank tegen te gaan. Elke gezin had zijn eigen middel. Het maakte niet uit; iedereen trok zich uit de slag op zijn eigen manier, zoals je ook niet kon oordelen over opvoeding of over de wijze waarop een echtpaar met elkaar onder één dak leefde. Welke afspraken er ook golden, niets telde - als het maar werkte.

De vroedvrouw die voor de deur stond, had zich niet beschermd door marihuana te smoren zoals de jonge gozers die bijvoorbeeld mosterd kwamen brengen. A liet het mens binnen en bracht haar bij zijn vrouw.

'We zullen er dadelijk aan beginnen,' zei ze. 'Maar we zullen er de tijd voor nemen. U bent hier thuis, er kan en zal u niets overkomen. We doen alles op uw tempo.'

A zette het computerscherm uit. Er werd hem verzekerd dat ze hem wel zouden roepen als het zover was, zodra het van start ging. Intussen begaf hij zich in de tuin en deed verder waarmee hij twee dagen geleden begonnen was. Hij nam de bijl en begon de blokken hout te splijten, naast het kampvuur dat hij had gemaakt. In volle nazomer stegen de rookwolken als signalen van een indianenstam boven de daken van de buurt uit. Hij dacht daarmee twee vliegen in één klap te vangen: de hitte deed hem zweten en deed hem ook al de rest vergeten.

Het maakte hem allang niet meer uit, hij had niets meer om zich tegen te verzetten. Gisteren

had hij nog een kwartier lang in de garage gestaan, over de beerput gebogen, nog nooit was
stront zo uitnodigend geweest om erin te springen. Zelfs in tijden van ontreddering, zoals in de
getto's van de joden in de oorlog, zou een kind
om uit de handen van te blijven van de nazi's nog
minder snel in de smurrie springen. De verstrooi-
ing, want meer dan dat was het eigenlijk niet, was
vaak duur en obsceen, maar soms broodnodig om
de dag door te komen.

A kon echter niet wachten om zich op te maken
met het babypoeder en zelfs de stinkende pam-
pers in zijn gezicht te duwen, van de nood een
deugd maken en er nog kosten mee uitsparen ook.

Eenmaal uit de lift bleef S staan in de kelders van
het ziekenhuis, onder de grond, in het mortuarium dat er met de gesloten lades en vakjes door de
glazen deur uitzag als een streng bewaakte bank
of een mausoleum van de moderne maatschappij.
Vlak na de middag was ze ontsnapt uit de kamer
van haar moeder toen het gesprek ineens een heel
andere kant op was gegaan. Haar moeder had het
weer over het huwelijk van haar dochter gehad,
maar ineens drong het tot S door dat ze eigenlijk
al die tijd haar eigen huwelijk onder de loep had
genomen.

'Zo gaat het meestal bij deze tragische ziekte,'

had ze gehoord van de behandelende arts. 'De contouren en de personages in het leven vervagen, lopen over elkaar heen, worden dan vervolgens vervangen door andere, tot ze uiteindelijk in één persoon samenvallen, wat meestal het eigen *ik* is.'

'Ze heeft het dus de hele tijd over zichzelf, ook al denkt ze zichzelf weg te cijferen?'

'Ze is zich ook aan het wegcijferen,' zei de arts. 'Zo moet je het helaas zien. Ze projecteert haar gevoelens en angsten op anderen, op jou bijvoorbeeld en alleen daarmee houdt ze haar bekende omgeving, inclusief zichzelf, in leven. Maar aan het afbrokkelingsproces valt niet te ontsnappen.'

'Dat heb ik gemerkt,' zei S. 'Het is haar huwelijk dat een ramp is. Zij die alles en iedereen aan het loslaten is, hij die vergeet hoeveel hij haar nodig heeft.'

'Hoe stelt je vader het?' vroeg de arts.

'Goed, neem ik aan. Hij is hier bijna nooit, zit meestal thuis.'

'Dat wil ook wat zeggen,' zei de arts, die precies ook psycholoog was. 'Want ik heb de indruk dat hij de kern van het gespreksonderwerp is, ook al is hij er niet. Hij is dus wel steeds prominent aanwezig, zeker in haar geest. Vreemd, hè. Vervaging is niet altijd zomaar vervlakking.'

'Als ik het dus goed begrijp, is hij de sterkte van ons allemaal en betrekken we hem in het gesprek om te overleven, zit het zo? Als dat zo is, dan gebruik ik hem misschien ook om mijn eigen echtgenoot, of althans, mijn betrokkenheid en relatie met hem in leven te houden.'

'Zo zou je het ook kunnen zien.'

Het ging dus niet over de twee mensen die in de patiëntenkamer aanwezig waren, het ging over diegenen die er niet waren.

'Heb je al kunnen nadenken over wat je gaat doen als het snel bergafwaarts gaat? Een wilsbeschikking? Ik neem aan dat het testament en alle andere praktische zaken al zijn geregeld bij de notaris, maar… heeft je moeder gezegd hoe ze het einde wil aanpakken?'

S schrok danig van de originele bewoording om iets definitiefs en ernstigs als een levenseinde te omschrijven, alsof het op die manier minder ingrijpend en drastisch zou zijn.

'Ze wil niet afzien,' zei ze. 'Maar misschien doet ze dat nu al.'

'Weet je,' zei de dokter nog. 'De grens tussen effectief zelf over je wil beschikken en een beslissing te nemen en al net over de grens te zijn, is heel minimaal. Ik heb - althans bewijzen heb ik er nooit voor gevonden - in twee gevallen in mijn leven de indruk gehad dat de patiënt in kwestie 'speelde' dat hij zich niets meer herinnerde. Om het lot, de pijn of de ziekte te snel af te zijn, begrijp je? Net een streepje voor.'

'Ik snap het,' zei ze.

Ze dacht terug aan het moment waarop haar

moeder in bed haar neus ophaalde voor de spruit-
tjes die die dag waren opgediend.

'Wat ruiken ze lekker!'

Was het een *selffulfilling prophecy*? Ze negeerde
ongetwijfeld de stank die als huisbewaarder het
ziekenhuis had ingenomen, maar deed ze het opzettelijk of was de ziekte al zover gevorderd dat
ze niet anders kon dan alleen maar terugdenken
aan de laatste dag, de herinnering, toen ze nog
echt de geur van verse spruitjes had kunnen inademen? Het vrat aan S dat ze het niet wist en
wellicht nooit zou weten.

'Ze is als een kind dat doet alsof de dood niet
bestaat.'

'Dromen en herinneringen,' besloot de arts.
'Ook zij lijken zo op elkaar dat ze op de duur niet
meer van elkaar te onderscheiden zijn.'

Daarom was S dus afgedaald in de onderste
regionen, de onderwereld waar de stank werd
bevochten door de geur van de dood. Ze had zin
om de koelers, de airco en alle andere hulpappa-
ratuur om het mortuarium fris te houden, stop te
zetten. Hop, de stekker eruit, zoals ook haar moeder het met zichzelf zou willen. Dan zou S met
verve de rol van oorlogskind in een schuilkelder
spelen terwijl de bommen boven haar hoofd ex-
plodeerden.

'Het is een vorm van troost, hè,' zei een stem
achter haar.

De klerk was net terug van zijn middagpauze

en installeerde zich achter zijn bureau want ook de bezigheden van de dood moesten bureaucratisch bijgehouden worden.

'Ik had gedacht dat niets aan dit kon tippen,' ging hij verder, 'maar ik was dus mis. Mensen vroegen me vroeger waarom ik zo hield van dit baantje omdat ik elke dag weer werd geconfronteerd met dode mensen. Het waren de sereniteit en de eindigheid der dingen die me om een of andere vreemde reden net troost boden. Te weten dat al de rest sterk overroepen was, als je eenmaal oog in oog staat met de dood. Maar nu...'

'Wat zegt u nu? Dat die stank nog erger is dan de dood?'

'Ik zeg alleen dat ik hier vandaag minder troost vind dan voorheen. Ik had ook gedacht, net als u, dat het hier wel zou meevallen, alsof het voor die geur verboden terrein was, maar het overtreft zelfs de lijkgeur, nietwaar? Het slorpt gewoon alles op.'

S leek dwars door een van de lades heen te kijken en zag meteen haar moeder liggen. Ze besefte ineens waarom ze in het mortuarium stond. Ze wilde weten of ze het aankon om het nieuws aan haar moeder te vertellen. Ergens was ze ook wel benieuwd naar de reactie. Zou ze het nog vatten en op een fatsoenlijke, menselijke manier reageren of niet? Het was ergens wel contradictorisch: als ze er nog bij was en tot het besef kon worden gebracht dat de dood voor de deur stond, was ze er duidelijk nog niet rijp voor. Als ze het niet meer zou beseffen, had het feitelijk geen zin meer om de dood voor te zijn.

'Weet je wat zo frappant is?' zei de klerk. 'Ze komen nog steeds binnen en nog steeds gaan ze niet meer buiten, de overledenen. Ze worden binnengebracht zoals vroeger, onder een wit laken en dan worden ze een laatste maal gewassen, maar toch is het anders. De stank heeft alles anders gemaakt.'

'Hoe dan?' wilde ze weten.

'De sereniteit is weg. Het ligt er te vingerdik op. Het lijkt zelfs niet eens echt meer. Echt waar, je zou kunnen zeggen dat er een overbodig *special effect* mee gemoeid is, zoals een rookmachine in een steegje op een filmset waar het sowieso al mistig is.'

'Dat is een aparte manier om het te bekijken.'

'Ik heb daarnet in de kantine gehoord over de eerste mensen die hun reukorgaan laten weghalen,' sprong hij ineens van de hak op de tak.

Dat kon S zich niet onmiddellijk voorstellen. Amputaties, ja. Mensen werden blind geboren of door een ongeluk, hetzelfde met doofheid. Ze verloren een arm of een been in een verkeersongeluk en zelfs de tastzin kon worden aangetast. Ze dacht terug aan haar jeugd toen ze nog de onhebbelijke gewoonte had om haar eigen huid af te pellen van het topje van haar duim. Een paar keer had ze er zoveel huid afgetrokken dat ze zich een slang voelde die een tweede huid kweekte, maar de eerste dagen daarna had ze werkelijk ook minder gevoel in haar vingers. Ze kon haar duim veel langer op een hete radiator leggen; ze had met de huid ook haar pijngrens verlegd.

'Hoe doen ze dat dan?'

'Ik heb gelezen in een van de vaktijdschriften hier in de wachtkamers dat ze de reukzin kunnen wegnemen. Vraag me niet hoe. Ik ben geen dokter, maar blijkbaar kan het en waarom ook niet? Als men chips in een brein kan inplanten die herinneringen kunnen opslaan, waarom zouden ze dan geen chip kunnen inplanten met een ingebeelde lekkere frisse dennengeur bijvoorbeeld? Een geurdertje, niet aan de spiegel van je wagen, maar aan het topje van je huig.'

'Zo makkelijk zal het wel niet zijn,' zei ze.

'Ik stel het nu wel zo voor, maar geef ze nog tien jaar en ze komen ermee weg, hoor. Zie het als een prothese zoals mensen met slechts één been vandaag nog weer een marathon kunnen lopen. Of een blindgeborene die speciale lenzen krijgt.'

'Dat zijn supplementen. Als je de reukzin wegneemt, neem je ook letterlijk iets weg. Je creëert er niets voor in de plaats.'

'Dat zijn ze nog aan het uitzoeken. *Less is more*, zeker? Iets wegnemen kan ook betekenen dat je er iets voor terugkrijgt. Er komt een dag dat je zal kunnen kiezen: ofwel reukloos door het leven gaan, *comfortable numb* zeg maar, of met een ingeplante *fake* geur. Het is maar hoe je het bekijkt en wat je het beste lijkt. Ook hier valt niet aan te ontsnappen. Het is de gang van de wetenschap.'

'Maar als je niets meer ruikt, dan ben je verdoofd.'

'Of verlost,' zei de klerk die nu glimlachte.

Verdoofd of verlost van zorgen, zoals men vroeger door elektroshocktherapie een stuk ziel amputeerde. S dacht weer aan haar moeder. Eigenlijk stond iedereen voor dezelfde keuze als haar moeder, voor zover ze nog zelf konden beslissen. Ze staarde naar een van de laden en kreeg zin, niet om een van de doden te zien, zodat ze alles kon rijmen met de stank, maar om er desnoods voor heel even zelf in te kruipen en de lade dicht te trekken, weg van deze wereld. Terug naar de omgekeerde baarmoeder.

Uitgeput stond K voorovergebogen in haar atelier en keek naar de smurrie die ze over een van haar doeken had uitgekotst. De drank en de weerzin - de stank, die wilde ze die eer niet toekennen - hadden haar zo misselijk gemaakt dat ze midden in de nacht was wakker geworden en het toilet net niet had gehaald. Ze was halverwege het atelier blijven haperen en had zich tot de muur gewend. Het kwam er in één gulp uit. Toen ze weer de ogen opende en het zuur doorslikte waardoor ze even 'verlicht' leek, op een andere plek, bleef ze verwonderd staan kijken. Ze veegde de restjes van haar lippen en stapte traag, stap per stap, op de muur af. Wilde ze concurreren met haar ergste vijand? Ze probeerde er een patroon in te zien, in de vlekken, de massa, de materie die ze daar, als een ver gedreven Jackson Pollock had vastgelegd.

'*Close, but no cigar,*' mompelde ze.

Het kwam bijna tot leven, het geheel. Er leek een gezicht uit het doek te komen, bestaande uit gele en groene vlekken, sommige vlakken harder en hoger dan andere, met bobbels en hobbels, en stukken rots die als puisten in 3D naar voren leken te komen. Maar het geheel kon niet winnen. Toch was dit de meest moderne kunst, rechtstreeks vanuit de keel en de ingewanden van de hongerkunstenaar, hongerig naar aandacht en vernieuwing. Ze had 'geworpen'. Dit was haar vrucht, uit de buik, niet op een valse manier gefabriceerd door een paar handen waar de hersenen als tussenschakel hadden gediend. Neen, dit was zowat het dichtst mogelijk bij een geboorte of bevalling dat ze ooit zou geraken. Haar kapotte, verdorven moederkoek had ze opgeofferd. Het was net een last die van haar schouders viel, een ballast die wegviel, een ware opluchting. Alsof haar hele leven naar dit moment toe was geregeld; op dit moment op deze plek in deze tijd zou alles samenkomen op één punt; het contact van dat kleine minuscule luchtdeeltje op haar maag die alles in gang had gezet; een opwaartse spiraal die tot een hoogtepunt was gekomen. Het deed K zelfs een moment lang denken aan een orgasme, een climax waarbij haar lichaamsvocht al was aangetast door de stank.

Nadat ze zich had opgefrist, liet ze de kots nog wat hangen in de stank, hand in hand.

Op de televisie was een praatgast in het journaal aan een uiteenzetting bezig over de tanende invloed van de stank op de maatschappij.

'Hoe erg het ook is, zoals het er nu naar uitziet, heeft hij zijn grenzen bereikt. Er valt geen ander terrein meer in te nemen.'

'Dus wat kunnen we daaruit besluiten?' vroeg de nieuwslezer hoopvol.

'In het beste geval zal de stank permanent aanwezig blijven. Een voortdurende herhaling. Er zal geen verrassing meer zijn. Men zal opstaan en gaan slapen met dezelfde geur. Er zijn nu al mensen die beweren dat de stank niet meer opvalt, door gewoonte en gewenning. De mens is nu eenmaal een gewoontedier. Het zou me dus niet verwonderen mocht alles binnenkort weer gewoon zijn gang gaan.'

'Dat is een heel optimistische visie,' wilde de nieuwslezer met goed nieuws het bulletin afronden.

Maar de deskundige zei: 'Of net niet. Je zou het ook zo kunnen bekijken: heel even zag de wereld er anders uit. Ik zeg niet beter of niet slechter, gewoon anders, want laten we eerlijk zijn: er zijn geen doden of zelfs zieken gevallen. Maar als alles weer bij het oude is, zijn we terug bij af. Bij de eenheidsworst. De afstomping. Hetzelfde programma, keer op keer opnieuw. De oorlogen zullen de draad weer opnemen, de oorlogen zullen weer de kop opsteken, de politiek zal weer saai worden…' Daar wilde hij het bij laten, maar nu was het de nieuwslezer die zijn boekje te buiten ging en niet kon laten om de kijker nog een vraag mee te geven.

'Maar de stank zorgt net voor de afstomping. Hij is er de oorzaak van, niet? Hij maakt alles vlak. Hij zorgt ervoor dat we niets meer smaken of ruiken, dus hij dompelt ons onder in een donkere laag olie. Het is een sluipend gif, een wolk die gaat liggen, maar die niet oplost. Hij blijft aanwezig, ook al zullen we denken dat hij weg is. Dat is net het gevaarlijkst.'

K zocht ondertussen andere redenen waarom ze zo misselijk was geraakt. Was het een teveel aan hapjes, een teveel aan schijnheiligheid op de receptie? Of was het een dieperliggende oorzaak? Was de misselijkheid een fantoommisselijkheid geweest, het hoogst haalbare in haar geval, een ordinair vervangmiddel om datgene te beleven wat ze nooit echt zou kunnen beleven?

In ieder geval, het was eruit nu en het resultaat mocht gezien worden. Daar was ze zeker van, en al helemaal toen haar zus later die dag de schade kwam opmeten.

'Ik vind het zo jammer dat ik er niet kon bij zijn, zus,' begon ze.

Ze liep voorbij de werken zoals iemand voorbij een lantaarnpaal loopt, maar bleef toen voor het werk staan dat haar interesse had gewekt. 'Wat is dat? Deel van het geheel? Het past niet.'

Nog voor K kon zeggen dat het niet meer dan een ongewild experiment was, stond haar zus al met haar neus tegen het doek. Ze rook de kots, de stank in een dubbele laag.

'Jezus, het ruikt... Wat is dit? Is dit echt...?'

K kwam ernaast staan en knikte. Ze stak een hand uit, maar raakte het niet aan.

'Ik kon het niet tegenhouden,' zei ze. 'Het was sterker dan mezelf.'

'Wat is de bedoeling daarvan? Je hebt dat toch niet tentoongesteld?' vroeg haar zus.

'Neen, maar misschien doe ik het wel.'

'Je zei dat dit je laatste vernissage zou zijn.'

'Ik heb het gevoel dat ik ze nog iets verschuldigd ben. Misschien ben ik wel in bloedvorm en moet ik mijn beste werk nog maken.'

Ja, haar zus was alleszins gebiologeerd door het organische werk dat voor haar ogen tot stand was gekomen en eigenlijk als je het zo bekeek, nog steeds, continu, aan het veranderen was. Een werk in wording, steeds veranderend van betekenis en van samenstelling, zoals de kloddders kots daar bijna opborrelden en de streepjes zuur langzaam naar beneden gleden. Een tergend traag en eeuwig *work in progress*.

'Het heeft wel iets,' klonk het heel langzaam.

'Je raakt er niet op uitgekeken, hè?' vulde K aan - omdat ze wist waarom. Het was dezelfde reden waarom mensen 's ochtends altijd zo lang voor de spiegel stonden. Ze hielden niet van wat ze zagen, maar toch bleven ze ernaar staren alsof dat iets zou veranderen.

Op weg naar huis sprong N een apotheek binnen, niet op zoek naar een middel om de stank tegen te gaan want die waren er toch niet, maar om een paar slaappillen. Het was niet de stank die hem uit zijn slaap hield, maar de overschakeling naar het dagritme, nu hij ontslag had genomen uit de verffabriek. Hij stond nog maar in de apotheek en had heimwee naar de dagen waarop de geur van medicijnen en wetenschap soms zo sterk was dat hij met zijn plastic zakje naar buiten sprintte. Hij kocht twee doosjes slaappillen en hoorde de apothekeres klagen over haar zaak.

'Neen, het gaat niet zo goed, meneer, de laatste tijd. We hebben steeds minder klanten. Wist u dat men de stank nu niet langer alleen als oorzaak, maar ook als oplossing gaat aanbieden?'

N begreep het niet; wat, de stank als oplossing? Het was een monster waarvan de identiteit van dag tot dag veranderde, zonder zijn ware gelaat te laten zien.

'Jazeker, de wetenschap staat niet stil. In plaats van het kwaad te bestrijden nemen ze het als handlanger aan.'

'Wat doen ze er dan mee?'

'Ze beginnen het steeds meer als tranquilizer te gebruiken,' zei de apothekeres die in haar witte kiel de schijn ophield. 'Ze destilleren het uit de lucht en maken er een soort gas van, verpakken het, zodat ze het dan kunnen gebruiken als afleiding om de patiënt niet langer te confronteren met zijn ziekte.'

'Een surrogaat dus?'

'Wel, je zou het kunnen zien als een soort morfine. Of een speldenprik in de bil om de pijn te verleggen of te verzachten. Zoals een griepvaccin ook bestaat uit griepmicroben.'

In het geval van N was er geen *shot* stank nodig om de pijn te verzachten; hij had op een natuurlijke manier zijn conclusies getrokken en had ze als een kans omarmd. Na het tweede gesprek met zijn overste, dat ook weer op niets was uitgedraaid, was hij het kantoor uitgewandeld en had hij afscheid genomen van zijn collega's in de kantine.

'Wat ga je dan doen met je leven?' hadden ze hem gevraagd. 'Ga je de markt veroveren met een of andere uitvinding, gerelateerd aan dit fenomeen? De wasspeld opnieuw uitvinden en op grote schaal op de markt brengen?'

'Ik heb dit niet meer nodig,' was het enige wat hij kon zeggen want dat was het enige wat de stank hem had geleerd. 'Blijven jullie hier maar lekker zitten, verdwaasd en onder invloed van de stank. Op mij heeft hij een totaal andere invloed. Mij heeft hij net wakker gemaakt. Ik zat al meer dan dertig jaar onder invloed. De zogezegd schone lucht die ik dagelijks inademde, maakte me net wazig en leidde de aandacht af van de echte zaken.'

'Je raaskalt, man,' zeiden ze. 'Je weet niet waar je aan begint. Die stank heeft je helemaal gek gemaakt. Je zal het je berouwen.'

Maar zijn besluit stond vast. Dit was een *wake-up call*. Een alarm dat afging, nog luider dan het signaal dat in zijn hele leven hooguit twee keer was afgegaan toen een of andere verfmachine was tilt geslagen en er gevaar was voor de gezondheid. Wel, dat gevaar was al dertig jaar aanwezig geweest, zonder dat hij het wist. Hij nam afscheid van zijn collega's en zijn machines, en liep als een ander mens de fabriek uit. Hij kon net zo goed uit een kerk zijn gestapt, verlost van zijn zonden, een Nieuwe Man. Gedoopt en niet langer gedoemd om te mislukken. Geen religieuze fanatiekeling die, zoals zovelen vandaag de stank als een teaser van de apocalyps zagen. De gelovigen én niet-gelovigen die zich hadden verstopt in houten kerken, biddend tot de heer die één gigantische scheet had gelaten in het gezicht van zijn mensen. Onderweg naar huis zag hij de panelen van de gemeenteraadsleden die zich verkiesbaar hadden gesteld nu niet langer beklad met de gebruikelijke snorretjes en tongen, maar met slogans als "Red jezelf" en "Laat de stank niet aan boord". Ze zagen het als een nieuwe Ark van Noah die moest gebouwd worden, waarmee ze binnenkort de rivier zouden afvaren, op weg naar een nieuwe wereld.

De wereld om hen heen stonk als de pest, maar N straalde vanbinnen en blonk als nooit tevoren.

De derde Gang van het Experiment kreeg al snel een instant vervolg, toen het hoofdgerecht, verse zuiderse paëlla met extra currysaus klaargemaakt door de arbeider, in omgekeerde vorm weer op de verschillende borden terechtkwam. De smakelijke brij die de vijf Gasten, sommige met een lepel, andere met mes en vork, in kleine hapjes naar binnen hadden gespeeld, zag er eigenlijk in dat tweede, reeds verteerde, stadium niet eens minder smakelijk uit. Het overgeefsel dat voor het grootste deel, in drie, vier hapjes terug op de borden werd geserveerd, hier en daar wel net naast de rand van het servies, en bij één gast zelfs voor de helft in een halfleeg wijnglas, had dezelfde pigmenten en kleurschakeringen. Het was begonnen bij de vrouw die door de arbeider ook steeds meer het hof werd gemaakt, K, de kunstenares. Klaarblijkelijk was het in haar geval de afgelopen dagen al vaker voorgevallen en liep ze met een soort virus rond. In ieder geval werd zij als eerste bediend en nog voor de laatste Gast, de student die als jongste deelnemer tot het laatst moest wachten, een eerste hap van de vis had genomen, werden de lege schelpen van de kleine zeemossels op het bord van de kunstenares alweer gevuld, met de kleurrijke kots.

'Het spijt me,' klonk het niet eens gemeend, want iedereen in de zaal had wel al door dat met het wegtrekken van het bloed uit het witte gezicht meteen ook de maskers van de schijnheiligheid waren afgevallen.

Waarom zou men zich nog verontschuldigen? Een kat kan zich toch ook niet excuseren als ze met gekromde rug ineens boven het tapijt staat te kokhalzen. Het enige wat erop zit in zulke omstandigheden, is de natuur haar werk laten doen en achteraf het goedje weer braaf oplikken.

'Zit er maar niet mee in,' zei iemand anders. 'Je kan er niets aan doen. En het heeft niets te maken met de paëlla. Die ziet er in elk geval hemels uit...'

Maar het zicht op de dampende massa op het bord van de kunstenares, zette een hele cyclus in gang. Meteen daarna begonnen ook de andere Gasten, een voor een, het gerecht weer over te geven. Een clichématig festijn van de slechte smaak dat deed denken aan een slapstickfilm of de burleske tragedie over het selecte gezelschap dat zich per se wilde doodvreten.

Trillend en bevend bleef men op de stoel zitten, vol ontzag voor de kracht van de stank die het onwezenlijke had gecreëerd: van dode materie, weliswaar ooit levende wezens zoals mossels en garnalen, weer levende, bruisende en vooral warme substantie maken.

Er waren opeens geen regels meer.

'Je hebt een stukje rijst in je rechtermondhoek hangen,' zei de arbeider naïef en hij veegde het met een vuil, doordrenkt servet met gele, spermaachtige vlakken effectief uit de mondhoek van K, de kunstenares. Die bleef, zoals de meeste anderen, zitten en liet het gebeuren. Ze had zelfs niet gereageerd mocht de man het servet rond zijn hals hebben geknoopt en de ranzige rijstkorrel met zijn eigen verzuurde tong hebben

opgelikt.

Uiteindelijk was het de jongeman die als eerste zijn lepel nam en weer begon te eten.

4

DE STANK

VERVLAKT

"Fish and guests stink in three days"
- - Benjamin Franklin

Na drie dagen werd de stank een uitgesproken sociologisch en cultureel verschijnsel. Van de vernissage ging het naar een benefiettentoonstelling waar K 'echte' kunstwerken liet veilen voor het goede doel. Het goede doel was in deze tijden nog schrijnender dan anders. In drie dagen tijd was de geldkraan voor hongersnood in Afrika, Unicef en andere liefdadigheidsorganisaties opeens toegedraaid. De stank had alles opgeëist. De miserie zat nu dicht bij huis, maar een paar initiatiefnemers wilden de mensheid een geweten schoppen: er was wel degelijk nog een ander probleem dan de stank.

K zag een kunstwerk aan het publiek voorgesteld worden, een gedrocht van een gedrocht omdat het niet op kon tegen de waarachtigheid van de stank. Het was bij voorbaat verloren, kon het nooit halen, amper een stuiver waard.

'Ik heb een idee voor een nieuwe reeks,' zei ze tegen haar sponsor en geldschieter, de directeur van de academie waar ze ook lesgaf.

'Ja, daar moeten we het dan nog maar eens over hebben,' zei de directeur. 'Ik heb gehoord dat de laatste vernissage niet echt een succes was.'

Hij was er niet eens bij geweest, maar had blijkbaar wel al zijn conclusies getrokken.

'Het werd verpest door...'

'Je hoeft geen excuses te zoeken. Ik zeg alleen maar zoals het is. Ik stel niet meteen alles in vraag. Het kan geen kwaad om als kunstenaar ook af en toe eens jezelf in vraag te stellen.'

'Maar het is zo. Het kwam op een slecht moment...'

'Waarover heb je het eigenlijk? Die stankvlaag van een paar dagen geleden? Die is toch allang voorbij?'

De handen gingen de hoogte in om op het kunstwerk - een kruising tussen een rokende fabriekstoren en een sigaar - te bieden. K keek ervan weg, naar de directeur die er stoïcijns onder bleef. Welke stank? Dat kon hij toch niet menen? Dat was toch een grap?

'De stank die iedereen te pakken heeft natuurlijk,' zei ze bijna verontwaardigd. 'Welke stank anders?'

'Dat is toch allang passé,' tikte de meester haar bijna letterlijk op de vingers. 'Enfin, het is nog niet echt gepasseerd, maar het is het niet meer waard om er nog veel woorden aan te verspillen. We zijn er toch allemaal gewend aan geraakt?'

Het werd nog erger toen ze het gezelschap kregen van drie dames, burgertrutjes met de bovenste beste bedoelingen, die, elk getooid met glorieuze hoed rechtstreeks van de paardenrennen leken te komen en deden alsof ze de stank zelfs niet meer roken.

'Waar hebben jullie het nu nog over? Die bestaat toch niet meer?'

'Maar hij is er toch nog!' hield K koppig vol.

'Dat denk ik niet, hoor,' zei een ander kreng. 'Ik ruik het alleszins al niet meer. Ik ben het of gewoon geraakt, of…'

Ze maakte haar zin niet af, maar K wist wat ze bedoelde: ze stond *erboven*. De aanwezigen van dit selecte clubje haalden hun neus op voor de stank.

'Als ik het dus goed begrijp,' probeerde ze samen te vatten, 'dan doen jullie dus alsof de stank er niet meer is.'

'Weet je wat ik denk,' vroeg er eentje fluisterend alsof ze het over een familielid had die achter de tralies was gevlogen, de schande van de familie. 'Ik denk dat die stank alleen nog maar actief is in andere buurten. Het is te zeggen, zeker niet meer zo in onze wereld, in onze regionen. Wel, wat ik wil zeggen, in onze kringen.'

K wist niet wat ze hoorde. Ze probeerde het te vatten en keek de directeur nog één keer aan, in de hoop dat ze plots allemaal in een schaterlach zouden schieten. Wat moet een mens immers anders doen dan lachen met zijn eigen miserie? Misschien was de stank één grote grap geworden (of altijd al geweest), zoals men ook grapjes maakte over andere serieuze zaken zoals de multiculturele samenleving, godsdiensten en incest. Enkel over grote kwesties en thema's bleven de grappen bestaan en meegaan, dus misschien was het wel een teken aan de wand. Maar het wás geen grap.

Uit wanhoop en ongeloof distantieerde ze zich dan maar van het kliekje en liet zich wegdrijven van het vasteland, tot ze terechtkwam op een ander eiland: een oude bekende, de echtgenoot van de gynaecologe, die ook al eens was komen piepen op haar vernissage.

'Hoe gaat het ermee?' vroeg hij. 'Veel verkocht op de vernissage?'

'Ik denk dat ik langzaam gek aan het worden ben,' zei K. 'Hier wordt vooral veel bullshit verkocht.'

'Hoe bedoel je?'

'Ik weet niet,' knikte ze naar de schuldigen die nu inderdaad de schaal oesters en kaviaar niet zomaar aan zich lieten voorbijgaan, maar met smaak, échte smaak, het voedsel in hun mond staken, zonder te kokhalzen, over te geven. 'Ze houden hier allemaal de schijn op.'

'Ik snap nog steeds niet wat je bedoelt.'

'Ze doen alsof het er niet meer is,' riep K boven het geroezemoes bijna uit. 'Dat is toch niet te geloven! De hooghartigheid! Het lef! De hypocrisie!'

Het antwoord van de echtgenoot van de gynaecologe bleef uit. Zat ook hij mee in het complot waarvan K plots getuige was geworden?

'Ik vrees dat je niet meer bij de les bent. Het kan je ook niet zo kwalijk worden genomen. Kunstenaars sluiten zich nu eenmaal graag op, hoog en droog in hun ivoren toren, maar als je de laatste dagen wat meer buiten was geweest, dan had je toch ook allang gemerkt dat de stank inderdaad geminderd is. Wat zeg ik: hij is bijna helemaal *weg*.'

'Maar neen!'

'Ik kan begrijpen dat er nog steeds mensen rondlopen met de nasmaak en bij wie de stank nog steeds deel uitmaakt van hun bestaan, maar hier toch niet? Ja, in fabrieken, bij de mannen aan de band, bij de vuilnismannen op straat, de bouwvakkers in de riolen, de schooiers in het station…'

'Ik kan niet geloven dat je dit hardop zegt,' zei K. 'Wat bedoel je? Dat alleen de minderheidsgroepen ermee geconfronteerd worden? Straks ga je nog zeggen dat alleen de zigeuners, de…'

'Ik zeg alleen dat je niet kan blijven stilstaan. Je kan de zaken overwinnen en overstijgen. We hebben ook wel wat anders te doen, nietwaar? Bovendien kan je toch niet ontkennen dat er in onze kringen nu eenmaal meer en betere remedies te vinden zijn dan bij de man van de straat.'

Bij wijze van voorbeeld plukte hij een nieuw glas champagne van een schotel die passeerde en stak hij frivool en bijna geruststellend een olijf in zijn mond, obsceen en platvloers. Een kunstje, leek het wel, een truc. Een stunt.

'Zie je? We krijgen weer stelselmatig wat smaak te pakken. De stank heeft afgedaan, als je dat maar weet. En wie er per se bij wil blijven stilstaan, zal snel uit de boot vallen. De wereld moet verder. Dan zal je wellicht zeggen: wat dan met de zwakkeren van de maatschappij? Maar ik zeg, en ik ben er niet beschaamd over: wij moeten de leiding nemen en het goede voorbeeld geven. De rest zal wel volgen.'

Hij slikte de olijf door en K was op zoek naar een frons in zijn gezicht. Een teken dat het toch allemaal aanstellerij en schijn was, maar hij wist zich sterk te houden. Het deed haar denken aan de medicijnen en cocktails tegen het aidsvirus die eind jaren negentig eerst aan de welbedeelden van de wereld waren uitgedeeld. Ikke en de rest kan stikken. Of in dit geval: ikke en de rest kan stinken.

'Ik weet niet of ik me wel goed voel bij zo'n houding,' zei ze scherp.

'Welke houding?'

'Deze schijnwereld, want dat is wat er hier gebeurt. Doen alsof. De bourgeoisie die...'

'Laat me je even eens iets vertellen, mijn beste,' zei de echtgenoot van de gynaecoloog nu, alsof hij het zeer persoonlijk opnam en zelfs beledigd was door haar opmerkingen. 'Ik zeg dit niet graag hardop, want het klinkt hard, maar de waarheid is nu eenmaal hard. Ik zal nog een stukje verder gaan en het iets minder braaf formuleren. Ik heb de indruk dat de man van de straat zich maar al te graag wentelt in de stank om niet te hoeven werken. Het is een excuus als een ander. Ze betogen daar dagelijks, zogezegd tegen de stank die hen verhindert de draad van hun leven verder op te nemen, maar kijk: wij doen het toch? Als je het mij vraagt, zijn zij het die doen alsof de stank nog bestaat, terwijl hij allang weg is. Zo kan je het toch ook bekijken, nietwaar? Bekijk het eens van onze kant: wie zegt dat die stank er wel nog is…'

K had zin in een filosofische ontsnappingsroute en wilde de kaarten van Kant en de zijnen niet op tafel zien gegooid.

'Geloof me,' zei ze. 'De stank is er nog steeds. Wie het tegendeel beweert, is een leugenaar.'

'Noem je me nu een leugenaar? Ik zeg dit niet graag, maar wat met je vernissage? Dat was niet echt een succes, zo leek het. Dat is jammer en pijnlijk, maar misschien doe jij ook wel nog alsof die stank hier rondhangt. De enige geur die ik momenteel waarneem, is die van de frustratie. *Wishful smelling*. Zo noem ik het.'

K liep weg zonder nog een woord te zeggen. Ze voelde de inspiratie opborrelen in haar maag. Misschien was de stank echt wel weg, en waren het nu de mensen die haar misselijk maakten met deze verkondigingen. In ieder geval werd ze weer misselijk en zou ze zich moeten haasten naar haar atelier om haar volgende werk in de reeks te 'fabriceren'. Straks zou ze de echtgenoot van de gynaecologe en de rest van deze mannequinpoppen nog moeten bedanken.

Op de dag dat N zijn kastje kwam leeghalen en zijn laatste loonfiche ophaalde, hadden zijn collega's geen verrassingsfeestje voor hem in petto. De tijd van de verrassingen was voorbij. Hij ging ze allemaal af, alle banden en hun mannen. Sommigen gaf hij een schouderklopje, anderen gewoon een glimlach. Bij een of twee tikte hij hen op de schouder om teken te doen dat ze hun hoofdtelefoon moesten afzetten zodat hij ze nog iets in het oor kon fluisteren. De oren waren een slachtoffer geworden want met het wegvallen van de reukzin werd het gehoor steeds sterker en dus kwetsbaarder. Bij de voorlaatste arbeider bleef hij opvallend lang staan. Hij vroeg hem niet alleen om zijn hoofdtelefoon af te zetten, maar ook het mondmaskertje zodat hij kon antwoorden. Het was het neefje van de directeur, zijn plaatsvervanger, als hem die positie gegund was wanneer er van de stank geen sprake mee zou zijn.

'Ik wou je gewoon even zeggen dat ik je alle succes wens,' zei N grootmoedig want hij meende het echt.

'Dat is groots van je.'

'Het is maar dat je weet dat ik je niets kwalijk neem.'

'Dat is een hele opluchting,' zei de neef van de directeur. 'Ik begin volgende week al en zat er eigenlijk wel wat mee in dat jij bent opgestapt. Ik dacht dat het met mij en die baan te maken had.'

'Neen, helemaal niet,' zei hij. 'Ik was er gewoon

wat op uitgekeken.'

Hij wilde niet te lang blijven treuzelen bij de dravende machine, maar het kwam met een beetje vertraging en bleef even bij hem hangen.

'Je begint dus volgende week al,' vroeg hij.

'Ja, ik hoop dat je dat niet erg vindt?'

'Hé, ik werk hier niet eens meer,' zei N. 'Maar ik dacht dat ze zouden wachten tot de stank verdwenen was? Er werd me gezegd dat ze de kat uit de boom zouden kijken en zien of er in deze nieuwe wereld wel nog nood zou zijn aan verf.'

De neef had het duidelijk anders gehoord; hij zette het mondmaskertje weer op om het lawaai te bestrijden, maar ook om zich te wapenen tegen de woorden.

'De stank is toch grotendeels verdwenen,' klonk het plots verdrongen en hol vanachter het masker, de woorden toonloos en dof.

'Wat is dat voor onzin? Hij is er toch nog steeds! Meer dan ooit.'

'Je merkt het niet? Dat komt omdat je wellicht gisteren niet bent komen werken. Ik kan me voorstellen dat het daarbuiten nog steeds stinkt op straat, maar hierbinnen is het al verdwenen. Wat zeg ik? Ik denk zelfs dat we de stank hebben verdrongen en overwonnen. Je moet eens kijken hoe we hier staan te zweten.'

Maar N zag geen zweet. Het enige wat hij zag was dat mondmaskertje dat pufte, op en neer ging, als een kleine tent die tevergeefs werd opgeblazen, maar telkens weer in elkaar viel.

'Wat zeg je me nu? Dat jullie zo hard werken dat de stank aan jullie voorbijgaat? Dat jullie geen tijd hebben om er nog langer bij stil te staan?'

'Kijk, alleen mensen die niets anders te doen hebben staan er nog bij stil. En dan heb ik het niet over jou. Je weet dat ik je respecteer. Maar gisteren was ik op een feestje en daar hadden ze het over niets anders. Kon ook niet anders want meer dan de helft van die mensen daar werkt niet eens. Ze zitten thuis of gaan shoppen, en natuurlijk blijven ze maar over die stank door emmeren. Wat hebben ze anders te doen? Het is niets meer dan *bon ton* geworden om over die stank te klagen. Net zoals het mooi staat om over alles een politieke mening te hebben. Ik heb wel wat beters te doen. Er zijn mensen die moeten werken om rond te komen, met of zonder stank.'

'Dat is… hallucinant.'

'Ik hoop dat je snel ander werk vindt,' gaf de neef hem nog mee. 'Want als je niet snel aan de slag gaat, zal je gek worden van de stank, niet omwille van de stank zelf, maar omdat je aan niets anders meer kan denken. Je hebt toch perspectieven? Je zal toch iets om handen hebben, mag ik hopen. Niet dat het echt mijn zaken zijn…'

N probeerde een klare opsomming te geven van zijn plannen, maar het viel niet mee om te praten tegen een mondmasker.

'Ik weet nog niet wat ik ga doen,' zei hij meer

tegen de stampende machines en de rest van het lawaai dan tegen de man die zijn plaats zou innemen. 'Ik zal wat meer tijd en ruimte hebben om tot mezelf te komen, denk ik. Hoop ik. Misschien ga ik wel op onderzoek uit en probeer een paar andere geuren, subgeuren te vinden. Gradaties van de stank.'

Zo had hij het zich al een paar keer voorgesteld en nu hij het voor de eerste keer hardop verkondigde, hoorde hij dat het wel iets had.

'Al bij al heb ik mijn hele leven gewerkt tussen verf en geuren. Ik denk dat ik dus wel het onderscheid kan maken. Die stank kan toch niet één grote puinhoop zijn? Hij moet toch bestaan uit andere zaken, zoals alles bestaat uit kleine dingen. Substanken, zeg maar. Het is maar dat niemand eerder bij de gedachte heeft stilgestaan, laat staan er echt op uitgetrokken is om ze te analyseren.'

Maar wat hij werkelijk dacht, zei hij niet hardop. De stank vertelde hem dat hij nog leefde en nog niet dood was. Integendeel, hij was misschien zelf gestorven aan de lopende band, elke nacht opnieuw als een nachtelijke vlinder of een eennachtsvliegje, afgestompt en versleten tot hij aan het eind van de nacht als een hoopje vuilnis in de hoek was geveegd. Maar nu kwamen de bevrijding en de verrijzenis. Hij gaf de neef nog snel een schouderklopje en maakte dat hij wegkwam.

In het brede middenpad tussen de verschillende rijen machines door begaf hij zich naar de uitgang, hardop lachend, en zich niet eens schamend over de stuiptrekkingen van zijn schouders die op en neer gingen omdat hij zich zo goed voelde. De stank was een defibrillator. Hij was gereanimeerd met de smakeloze adem van een goedhartige Samaritaan, een vreemdeling die hem had gered van de ondergang.

Onderweg naar buiten spaarde hij zijn adem en liet dan, net voor de poort openging, zijn laatste zucht daar achter, in de fabriek, voor hij de wijde wereld instapte en alles gulzig binnen hapte, als was het het zoete parfum van een mooie gezelschapsdame van wie hij wist dat hij ervoor moest betalen, maar die hij onmogelijk kon laten lopen.

In het ziekenhuis waar S werkte, probeerde men de stank in kaart te brengen aan de hand van testen met een paar vrijwilligers die als proefkonijn zouden dienen. S liep er even langs, in haar middagpauze, en zag ze zitten. Ze waren met zijn vijven en zaten allemaal in een ander kamertje van twee op twee aan een houten tafel achter een gesloten deur met een klein raam.

'We laten ze even wennen aan de ruimte,' legde een van de onderzoekers uit. 'We zijn nu wel voorbij het stadium dat we de stank objectief kunnen opmeten. Belangrijker is misschien wel hoe de mens, elk individu, op zijn eigen manier, de stank *ervaart*.'

'Waarom is dat nodig?' wilde ze weten.

'Alleen op die manier vinden we misschien een oplossing. Elk lichaam reageert ook anders op een virus. Sommige mensen zijn misschien van nature uit immuun voor de stank, zoals ze ook met een bepaalde immuniteit zijn geboren. Anderen zijn er misschien net extra gevoelig voor, zoals mensen met een allergie of hooikoorts.'

S zag door het raam van een van de kamertjes een man zitten met de handen hulpeloos in de schoot. Hij deed niks, liet het zich overkomen.

De onderzoeker zei: 'Wat we hier hebben bijvoorbeeld, is een van de heel zeldzame ruimten waar we de stank hebben kunnen uit weren.'

'Ik wist niet dat die nog bestonden,' zei ze.

De onderzoeker glimlachte raadselachtig. 'Ik ook niet. En misschien bestaat ze ook echt niet, snapt u? Maar laten we even beschouwen dat er daar binnen inderdaad geen stank te bespeuren is, dan willen wij wel eens weten of die man dat weet, voelt of ruikt. Of dat hij in het andere geval al zover geconditioneerd is dat hij de stank overal met zich meedraagt.'

'Interessant.'

Ze liepen verder naar het andere kamertje waar een oudere vrouw zat te breien.

'Hier in deze kamer hebben we de indruk te maken te hebben met een zogenaamde ingebeelde stank. Een imaginaire stank.'

'Wat, zoals een ingebeelde ziekte? Zoals bij Flaubert?'

'Ja, misschien wel,' beaamde de onderzoeker. 'Ziet u, voor ze deze kamer betrad, klaagde deze dame over de stank, maar toen we haar klachten van naderbij aanhoorden, bleek het verdacht veel over een andere stank te gaan. Ze beschreef wat haar zo stoorde - voor zover men dat kan, want de menselijke woordenschat is nu eenmaal beperkt, soms werkt men beter met beelden - en het kwam absoluut niet overeen met het beeld dat wij van de stank hadden.'

'Wat wil dat dan zeggen?'

Ze kon niet opmaken wat de dame aan het breien was, een sjaal of een muts, noch of ze het deed omdat ze gek aan het worden was of gewoon om de tijd te verdrijven.

'Dat weten we nog niet. '

De rest van de proefkonijnen werden sneller afgehaspeld aangezien S werd opgepiept voor een thuisbevalling. Ze ging langs op de Dienst Materniteit en verzamelde haar spullen. Vergezeld van een vroedvrouw nam ze de wagen en werd onderweg naar een van de buitenwijken op ede hoogte gebracht van de aard van de bevalling. De vroedvrouw legde haar de voornaamste dingen uit. Het zou een standaardklus moeten worden. De moeder had al drie kinderen en had maandenlang bed gehouden. Alles was altijd heel natuurlijk gegaan en zoals het er nu naar uitzag lag de baby klaar.

Maar ze stond nog maar pas in het huis of ze rook dat het stonk naar paniek en onrust. De echtgenoot van de moeder in spe, die zich voorstelde als A, had zich nu al opgemaakt als een vader die talrijke slapeloze nachten tegemoet ging: ongeschoren stoppelbaard, vaalgele tanden en een wollen kamerjas die hij als een koningsmantel droeg. Ze werd naar boven geleid, naar wat de *master bedroom* was en zag dat alles klaar was om open te barsten. De vrouw lag te kronkelen van de pijn en in de kamer had de stank zich bijna in kwadraat gemanifesteerd.

De vroedvrouw inspecteerde de grootte van de opening en besloot: 'Ze is er klaar voor, dokter. Het kan nu elk moment gebeuren.'

Maar het gebeurde niet. Hoezeer S de moeder ook hoorde roepen dat ze de baby uit haar buik moesten halen, desnoods snijden, het kind wilde niet komen. De vroedvrouw probeerde de moeder te kalmeren en zei dingen zoals 'let op je adem' en 'probeer zachtjes te persen', maar het hielp allemaal niet. S had het nog nooit eerder meegemaakt in haar carrière; doorgaans verliep een thuisbevalling net veel gemoedelijker en vlotter, doordat de moeders zich meer op hun gemak voelden. Nu stond de echtgenoot er in zijn kamerjas op te kijken, met de blik van een vreemde die de hele geboorte veroordeelde in plaats van ze aan te moedigen. Op de duur kon ze niet anders dan *hem* te bestuderen, terwijl de vroedvrouw bezig was met het voorhoofd van de moeder te deppen. De echtgenoot leek in een hoekje weg te kruipen, beschaamd over wat komen zou, helemaal niet met de trots van een vader, en toch hadden ze samen al drie kinderen gehad.

'Ik heb gezegd dat ze buiten moesten blijven,' legde hij aan haar uit toen ze vroeg waar ze waren en of ze dit niet liever wilden meemaken. 'Ik heb gezegd dat ze op hun kamer moesten blijven.'

Alsof het een marteling of een schertsvertoning was, een dubieuze voorstelling van een obscuur kabinet voor een heel select publiek.

'Het gaat niet!' schreeuwde de moeder alsmaar. 'Ik wil wel, maar het lukt niet!'

De sfeer was er zo beklemmend dat S een raam wilde openzetten om de geur van een etterende zweer, op het punt om open te barsten, enigszins te dempen.

'Waarom komt hij nu niet?' weerklonk de weemoedige stem.

Het was geen overdreven dramatiek van een jonge onwetende vrouw die voor het eerst in haar leven moeder werd.

'Waarom lukt het nu niet?' vroeg S nu voor het eerst zelf een beetje in paniek aan de vroedvrouw. 'Die baby moet eruit of hij sterft daarbinnen.'

Ze nam voor een tweede keer voor de opening, de vulva, plaats en voelde met haar gehandschoende hand, tastte naar het hoofd van het kindje, maar ze voelde niets. Ze graaide in de leegte.

'Mijn god, het lijkt wel alsof de foetus er gewoon niet meer is,' zei ze ontzet tegen de vroedvrouw. 'Wat is hier aan de hand? Dat kan toch bijna niet?'

'Haar buik staat nochtans op ontploffen,' zei de vroedvrouw.

'Komaan, pers hem eruit,' zei S nu luider, bevelend. 'Doe het! Of straks is het te laat! Hij moet eruit! Nu! Of we verliezen hem!'

Maar nog kwam het kind niet. De stank, bedacht S plots omdat ze een reden zocht, een tastbare reden waarom een baby na negen maanden duisternis en baarmoederschap niet stond te springen om op de wereld te komen. Ze wist dat de meeste baby's met een dierlijke schreeuw in het leven werden geworpen, maar dit had ze nog nooit eerder meegemaakt. Hoe meer ze tastte met haar hand, hoe verder de baby leek te kruipen, verder weg van de opening, terug naar de oorsprong, de monding van de rivier. De wens om langzaam aan een omgekeerde reis te beginnen, negen maanden lang, tot de baby weer een vrucht, een embryo en uiteindelijk een momentopname zou worden waarbij de eicel en de zaadcel elkaar voor het eerst hadden ontmoet.

'Het lukt niet. Waarom lukt het nu niet?'

De wanhoop nabij stak ze een allerlaatste keer haar hand zo diep mogelijk in de holte waardoor de moeder het nog meer uitschreeuwde. Venijnig, met een verbeten trek om de lippen, zou ze hem halen, de baby, hem bij zijn weinige haren uit de holte slepen, het hoerenjong.

Maar misschien was dat wel net zijn bedoeling, om zich te verschuilen voor de stank en alles wat daarbij hoorde: de handen van de mensen, het geluid van hun stemmen.

'Hij wil dus echt niet,' zei ze. 'Hij wil er niet uitkomen.'

En tegelijk ging het door haar hoofd: waarom zou iemand eigenlijk wel nog deze stank willen trotseren? Het was een slag in het gezicht van elk levend wezen.

Uiteindelijk kreeg ze het kreng toch nog te pakken. Haar vinger streelde iets wat van ver op een oor of een oorlel leek, en net op tijd wist ze de buit binnen te halen, of liever de schat uit de grot te halen. 'Godzijdank,' zei ze toen de moeder een ultieme kreet slaakte.

Alsof het kind de hele tijd zijn adem had ingehouden, was het stil, zoals eigenlijk maar weinig voorkomt. Misschien was het nog in shock en kon het de bruuske kennismaking met de stank niet beantwoorden. S zag hoe de vroedvrouw het van haar overnam en de baby, blauw en purper, bebloed, vol slijm en moederkoek in een handdoek wikkelde. Maagdelijk wit was de handdoek, en toch had ze de indruk dat de baby beter af was daarbinnen. Ze had hem verraden, was hem komen halen als een strenge studiemeester die een leerling op strafstudie kwam zetten. Ze had hem al besmeurd, onherroepelijk en definitief.

'Het is een jongen,' zei de vroedvrouw.

De echtgenoot werd erbij gehaald om de navelstreng door te knippen, maar zoals in het verlengde van zijn gedrag lag, weigerde hij door zachtjes het hoofd te schudden.

'Dat hoeft niet. Doet u het maar.'

Hij had duidelijk schrik om de daad te verrichten, beseffende dat het een fragiele en delicate verbinding was die als het even kon misschien best in stand kon worden gehouden. Want als de levenslijn werd doorgeknipt was het kind aangewezen op zijn eigen ademhaling. Zou het de stank wel de baas kunnen? S had de voorbije drie dagen gecontroleerd of er baby's gestikt waren, maar behalve een paar gevallen waarbij een couveuse moest worden ingezet, waren ze allen in leven gebleven.

'Hij huilt niet eens,' zei de moeder toen ze haar zoon op de borst kreeg voorgeschoteld. 'Is dat wel normaal?'

'Je wou er echt niet uit, hè, kereltje,' zei de echtgenoot die in een-twee-drie terugviel op zijn rol als modelvader; hij nam plaats naast zijn vrouw en kietelde het kind onder zijn kinnetje.

'En wie zou je dat kunnen kwalijk nemen? Het zal daarbinnen wel een stuk gezelliger, warmer en… aangenamer zijn dan hier.'

Een tijdje - hoelang wist niemand - bleven ze daar in stilte naar de kersvers geboren baby staren, een wonder dat in elk opzicht een dubbel wonder was, omdat het een prestatie was om, ondanks de stank, toch nog 'de sprong' naar buiten te wagen. De vroedvrouw ging nog wat verder met het schoonwassen van de baby, met een roze washandje dat tamelijk warm en behaaglijk was. Vervolgens werd de baby bepoederd weer aan de borst gelegd, maar nog werd er niet gesproken. De moeder hield hem als een bewijsstuk voor zich uit, en rook voor alle zekerheid aan zijn achterste.

'Ik durf het bijna niet te zeggen,' vezelde ze, 'maar hij stinkt nu al.'

'Heeft hij al in zijn pampertje gedaan?'

'Neen, dat niet,' zei de moeder. 'Het is gewoon... het is hetzelfde als altijd.'

Ze hoefden het woord zelfs niet meer hardop te zeggen, de benaming van het spook. Een beetje ongemakkelijk legde ze de baby tussen haar beide borsten. S zag erop toe, staarde in het ijle en hoorde de vroedvrouw zelfs niet meer. Het enige wat haar was bijgebleven, was het moment dat ze voor die donkere holte had gezeten, om de baby te roepen, te lokken, en de walm die haar tegemoet was gekomen. Het was dezelfde stank als op het vasteland. Voor de baby was er niets veranderd; hij was uiteindelijk toch verschenen, misschien in de hoop dat het hier beter was dan daarbinnen.

Maar daarin was hij mis. De vroedvrouw vroeg

S een tweede keer of ze er toch geen couveuse moesten bijhalen. Ze kon er zo eentje uit het ziekenhuis laten overkomen, zogezegd om de baby niet te veel bloot te stellen aan de stank, maar eigenlijk was het omgekeerd. De onderliggende gedachte was om al de rest van de aanwezigen te beschermen tegen de immens, stinkende lucht die de baby verspreidde. Een glazen tempel om de stank op te sluiten, een scheet in een fles als het ware, maar dat zag de moeder niet zitten.

'Laat hem maar bij mij liggen. Er is toch geen beginnen aan. Ik zie het als de voortzetting van de genen, zoals een mens soms ook een geboortevlek erft van zijn voorouders. We zitten er al bij al allemaal wel mee opgescheept, als een godverdomde erfzonde, nietwaar?'

Maar voor S was het duidelijk: het was nog maar een begin. En er zou zeker geen einde aan de stank komen, zolang er nieuwe mensen op de wereld werden gezet.

Voor de twee jonge geliefden zat er uiteindelijk niet veel anders op dan uit hun isolement te breken. Dagenlang hadden ze gekampeerd in de muffe hotelkamer en in elkaar, op zoek naar het laatste restje eigenheid en ware karakter van elkaar. Op heel zeldzame momenten hadden ze *het* gevonden, een vleugje en een vlaagje van eigen lichaamsgeur die ze zich dan gretig toe-eigenden. Maar na een paar dagen besloten ze zich niet langer op te sluiten en machteloos toe te kijken. Op het journaal dat op het oude toestel in de hal bij de balie aan de gang was, zagen ze op een avond dat de stank een relikwie was geworden, een 'identiteit'. In het Midden-Oosten waren de gemoederen na de initiële vredesbesprekingen en staakt-het-vuren weer redelijk opgelaaid, nu beide kampen de stank als hun eigen eigenschap hadden opgeëist. De vlag van een land zou niet langer een beeltenis krijgen, maar gewoon worden ondergedompeld om een geloof te vertegenwoordigen.

'In de voorbije nacht werden alweer repercussies genomen op de vergelding van de Palestijnen door het Israelisch leger. De woordvoerder van de Palestijnen meldt dat de stank op de nederzettingen het signaal is en het bewijs dat het geen Israëlisch grondgebied is. De Palestijnen zeggen dat de stank een rooksignaal is van Allah, maar de Joden aan de nadere kant verklaren dat de stank vooral hun volk treft, en dat zij, nog meer dan de andere volkeren ter wereld, getroffen zijn.'

D wisselde van kanaal, maar kon niet geloven toen ze zag dat de stank als een goedje de wereld rondreisde en in elk land, elk continent wel werd opgepikt.

'In Australië omschrijven de Aboriginals de stank als hun typische geur. Ze claimen de stank, ware het niet dat de Russische regering net hetzelfde doet.'

'Mijn god,' zei T. 'De hele wereld vecht ervoor.'

'Maar waarom dan? Wat kunnen ze ermee doen? Verkopen voor veel geld?'

'Voor de eer,' zei hij. 'Zelfs voor een luchtledige bel gaan ze met elkaar in de clinch.'

'Maar wel een luchtledige bel die de hele wereld in haar greep houdt.'

Ze zagen vervolgens als uitsmijter in de nieuwsdienst hoe een jonge student aan de trappen van het gerechtsgebouw op een kardinaal stond te wachten om hem een chocoladetaart in het gezicht te gooien. Hij werd onmiddellijk gegrepen, maar het verwonderde gezicht van de kardinaal, half onder de bruine troep, in combinatie met de stank, deed D denken aan een taart van stront.

'Jakkes,' zei ze hardop. 'Denk je dat dat echt chocolade is? Of iets anders?'

'Wat maakt het nog uit?' vroeg hij zich af. 'Hij verdient het. Je hebt toch gehoord wat hij gisteren in een kerkdienst verkondigde? Hij zei dat de stank een straf was voor al wie zich aan promiscuiteit wijdde. Een verdiende loon, waar je je boven kan stellen als je je maar geestelijk genoeg opstelt. Nog nooit stonden de poorten van de kloosters zo wijd open.'

D zat half in de enige versleten fauteuil, het ene been over de leuning, het andere languit over het dikke tapijt. Ze had zin om op haar buik aan het tapijt te grazen, zoals ze vroeger als kind zo vaak thuis had gedaan.

Misschien was het net als bij honden en gas: als je maar laag genoeg over de grond kroop, bleef je misschien buiten schot. Had iemand dat al eens uitgetest?

Zoals de meeste mensen hadden ze zich allebei de voorbije week niet een keer meer gewassen. Ze droegen dezelfde kleren en schoenen, en stonden net weer op het punt om naar boven te gaan en in bed te kruipen, een vlucht uit de werkelijkheid, toen T tijdens het zappen bleef hangen bij een oude film. Terstond was hij niet geïnteresseerd in het verhaal of de personages, maar in de sfeer.

'Weet je waar ik aan denk?' zei hij lusteloos. 'Als ik zo'n oude film terugzie, dan denk ik meteen terug aan hoe het was voor alles begon. De tijd verandert, de wereld staat niet stil, de mode evolueert, alles gaat nog sneller dan met de snelheid van het licht, maar er is één ding dat men nooit kan vatten op beeld of band en dat is een geur. Zie je die kleuren, die mensen, die decors, die wagens? Het is door naar zulke beelden te kijken dat we ons weer kunnen verplaatsen in de tijd van toen.'

In stilte keken ze naar een scène, misschien wel de meest clichématige scène van twee geliefden die in een Amerikaanse *convertible* zaten en langs een klif reden.

'Vreemd, hè?' zei hij, want hij zag dat ook zij het zo ervoer. 'Je zit ernaar te kijken en de stank verdwijnt. Het is de vleesgeworden melancholie. Het is de enige manier om hem de baas te kunnen. Terugdenken en terugkijken naar de tijd die er niet meer is, door levende beelden te bestuderen.'

Alle beetjes hielpen, maar voor heel even slechts. D hees zichzelf uit de fauteuil en zei dat ze nog snel naar de supermarkt zou gaan om nog wat zalm en een paar staaltjes van die kunstmatige anti-stankbussen te kopen. Die laatste waren nog maar enkele dagen op de markt, getest op een paar proefkonijnen, en volgens de eerste rapporten vrij betrouwbaar in de strijd tegen de stank. Later op de avond kwam ze terug met twee zakken, die voor het grootste deel gevuld waren met witte producten, zoutloze en merkloze vervangproducten die toch alleen maar dienden om *en masse* ingenomen te worden. Waarom nog investeren in duurdere en exclusieve merken en producten die zich trachtten te onderscheiden van elkaar als de stank toch alles tot eenheidsworst had gemaakt? Waar het op neerkwam, was dat de mensen door de witte producten te kopen en ook in te nemen, de meerwaarde dan maar erbij moesten 'dromen' of 'reflecteren'. Er werd een inspanning gevraagd die vroeger gewoon voorhanden was en de hogere prijs verdedigde.

'Ze verkopen er niets anders meer dan deze rommel,' zei ze toen ze de zakken op het bed zette.

'Wat wil je? Het is een miljoenenbusiness geworden,' zei hij die naar het resultaat van zijn laatste experiment aan het kijken was. Hij had een paar schrammen in zijn rechterbovenarm gekerfd en ze opzettelijk niet verzorgd, ontsmet of zelfs gewassen. Een gewond dier dat zijn wonden niet wilde likken zodat zijn eigen geur, zijn binnenste, zijn eigen bloed een eigen nieuwe samenstelling had aangenomen.

'Het is je reinste oplichterij.'

Ze had een potje nagellak uit een van de zakken gehaald en verfde haar nagels een voor een pikzwart.

'Ik weet niet eens of dit echte lak is of gewoon verf,' zei ze.

'Wat doet het er ook toe?'

'We worden allemaal beetgenomen,' zei ze. 'Terwijl we erop staan te kijken. De wereld zal er niet door veranderen. We worden zoals altijd weer gemanipuleerd.'

Hij was ondertussen overgeschakeld op ander beeldmateriaal. Hij lag in een oud fotoalbum te bladeren waarin hij snapshots van zichzelf als tiener en zijn familie bestudeerde waarbij hij de herinneringen weer tot leven probeerde te laten komen, badend in de geuren van weleer. Het viel niet mee om de geuren te beschrijven en dat was ook niet nodig; het belangrijkste was om erin te vertoeven zonder ze te benoemen. De ervaring en de voorstelling waren voldoende. In die zin liet hij de polaroids in zijn verbeelding doorbranden met een lucifer en snoof als een druggebruiker, die zijn hemdsmouwen had opgerold om zich een shot te zetten, de denkbeeldige daarbij passende geur op. Een trip doorheen het verleden waarbij hij niet werd verblind door felle kleuren of een montage van psychedelische flarden, maar waarbij het sentiment een luxueus bad was, stomend, bestaande uit allerlei verschillende geuren. Elk beeld was een ander flesje dat op de rand van het bad stond en niet alleen het water in schuim deed veranderen, maar vooral de intensiteit aanscherpte.

'Heb je nog nieuw beeldmateriaal gevonden?' vroeg hij half slaperig, half van de kaart. 'Ik ben een beetje uitgekeken op deze lading.'

Ze kwam naast hem liggen. De echte doeltreffende foto's waren niet in magazines of de supermarkt te vinden. Het had geen zin om je over vlekkeloze foto's van allerlei gerechten in vijfsterrenrestaurants of menukaarten van patisserieën te buigen. Dat was voorgekauwde en goedkope kost die al niet smaakte toen de foto's nog maar van de persen waren gerold. Neen, beter waren op het eerste gezicht nietszeggende beelden, het liefst zo persoonlijk mogelijk, omdat de herinneringen daarrond zoveel levendiger en dus smakelijker waren.

'Dat is het enige wat ik nog heb gevonden,' zei ze en ze haalde een kapotte halsband boven.

'Wat is dat?'

'Heb ik gevonden aan een lantaarnpaal op de

parking van de supermarkt. Wellicht achtergelaten omdat de hond in kwestie er niet meer was.
Wie weet wat er met de beest is gebeurd? Misschien afgemaakt voor zijn eigen goed omdat zijn
gesnuffel niets meer waard was, of misschien de
vrije natuur ingelaten.'

'Waarom heb je hem meegebracht?' wilde hij
weten want dit was een voorwerp; doorgaans
werkten ze met beeldmateriaal.

'Hij deed me denken aan onze eigen hond. De
enige hond die wij thuis hadden, een bouvier. Nu,
het vreemde is dat die hond altijd stonk, dus daar
kan ik wel aan terugdenken, maar het is me eigenlijk veel meer te doen om de dag dat die hond,
Chanel was zijn naam, op mijn vijfde verjaardag
de hele taart omver had gelopen.'

'Welke taart was dat dan?' wilde hij weten
want misschien kon hij met dat ene beeld van de
taart ook wel een paar minuutjes een andere geur
opwekken.

'Neen, die taart was niet belangrijk. Die hond
heeft net niets te maken met één bepaalde geur.'

'Ik begrijp het niet.'

'Het was min of meer een geurloze dag als je
zou willen. Er was niets bepalends aan die dag.
Het was mijn verjaardag. We vierden het in de
tuin, onder de parasol en ik mocht de cadeau-
tjes openmaken en natuurlijk waren er pannen-
koeken en puddinkjes en lekker eten en drinken,
en natuurlijk kan ik me die specifieke geur van

nieuw inpakpapier perfect voorstellen, maar ook daarover gaat het niet. Het gaat zelfs niet over de specifieke lichaamsgeur van mijn klasgenootjes of het interieur van de wagens waarmee hun vaders of moeders hen hadden afgezet. Dat is slechts een eerste, oppervlakkige niveau, als je wil. Neen, ik heb het over de geur van de dag. De geur, de sfeer van de hele dag, een van de gelukkigste dagen van mijn nog jonge leven. Er is me zelfs geen enkele geur bijgebleven, het was één groot geheel. Reukloos bijna.'

En toen voegde ze er weemoedig aan toe terwijl ze haar hoofd op zijn schouder liet rusten: 'Ik kan me niet meer voorstellen hoe dat was. Jij wel?'

Speels legde ze de halsband als een strop rond zijn hals.

Ze hoefden het allebei zelfs niet hardop te zeggen: was het niet beter om helemaal niet te ruiken dan dit? Zoals een blinde soms beter af was in het donker en niet doorhad dat de mensen hem stonden uit te lachen?

Op de binnenkoer van de kunstacademie waar K lesgaf, was een zoveelste voorstelling of performance aan de gang. Tijdens lunchpauzes was het idee onder de studenten ontstaan om 'wedstrijden' te organiseren, eerst onder elkaar, maar later onder het mom 'samen sterk' tegen de stank. Er werd zelfs een klassement bijgehouden. Helemaal boven aan de lijst stond de naam van een jongeling uit het tweede jaar grafische kunsten die voor niets of niemand terugdeinsde. Hij was al zes keer uitgedaagd, maar had er een zaak van gemaakt om nooit het onderspit te delven en, waarom ook niet, hij had niets meer te verliezen.

'Hij staat weer op de koer,' ging het gerucht als een lopend vuurtje door de gangen van de kunstacademie. 'Hij is weer uitgedaagd.'

Door de ruiten keken de kunstenaars vervolgens neer op de figuur op het plein, omringd door de strenge neoclassicistische flanken van het gebouw, en zagen hem staan, een standbeeld. De laatste keer had hij zich zelfs extra ingesmeerd met een of andere toxische stof.

Ook K was toen naar beneden gegaan en had het groepje vergezeld dat op veilige afstand was gebleven om de 'nieuwe' stank, de counter-stank op te nemen. Men liep rondjes rond de enigmatische rebel, zette soms een stap dichterbij en snoof de specifieke geur op, maar meestal was de strijd na een paar minuten al verloren. Van ver leek hij zelfs op een herder die stond te wachten tot zijn kudde schapen bij hem kwam staan.

Nu echter was het niet zomaar de zonderlinge jongeling; het was iemand anders. K zag vanaf de eerste verdieping dat er iets anders aan de hand was.

'Wat is er?' vroeg ze terwijl ze zich een weg

zocht doorheen de massa die deze keer wel degelijk op grote afstand van de prominente figuur bleef.

'Waarmee neemt hij het op tegen...?'

De zin kon niet worden afgemaakt want toen ze hem zag staan, merkte ze dat hij naakt was. En niet zomaar naakt. Deze man, een gladiator, was naakter dan naakt, had geen drek, stront, pis, smeerkaas, meststoffen of ander chemisch spul nodig om zich van de stank te onderscheiden. 'Mijn god, wat staat hij daar te doen?'

Het gonsde van de geruchten, gefluister dat het ongeloof vertegenwoordigde. K zag dat de man er niet alleen naakt, maar ook 'schoon' uitzag. Dit was geen ordinaire landloper, het was een uitzondering.

'Een messias,' zei iemand voorbarig. 'Hij trotseert het door zichzelf te zijn.'

K durfde niet te dicht in de buurt te komen, hield afstand, maar had een vermoeden dat de lucht rondom de man inderdaad niet bevuild was. Er was geen gloed te zien, geen aureool. Hij straalde al evenmin, maar zijn houding, soepel als David van Michelangelo, zei genoeg.

'Een geest,' zei een andere student. 'Dat is wat dit is. Een hologram uit een andere tijd.'

Samen met een paar anderen zochten ze naar de oorsprong, een mogelijke projector die ergens achter de gordijnen op de eerste verdieping was verborgen, maar ook dat kon niet. Want zelfs een projectie zou besmet zijn door de stank, even kwetsbaar en vatbaar voor het virus als een spiegelbeeld.

'Hoe doet hij het?' werd meermaals gevraagd.

K vroeg zich af waarom ze niet onmiddellijk op de man afstormden, om hem te omhelzen, niet om hem te gelukwensen met zijn rebelse daad, ontstaan vanuit een soort aangeboren immuniteit tegen de stank, maar om van hem te profiteren. Waarom omhulden ze zich niet met zijn aura? Waarom bleven ze zo op een afstand? Hadden ze schrik van zijn macht? Van zijn kracht en van zijn geheim? Ze kon alleen maar besluiten dat het kwam omdat hij de status van een god had. Ze durfden hem niet te benaderen. Hij was een beeltenis van het bijzondere. *Look but don't touch* werd in dit geval *look but don't smell*. Het gebeuren kreeg iets van een verering zonder dat de mensen er zich vragen bij stelden en wilden achterhalen wat de truc was, als er al een was. Ze voelde zich als een deel van een volk in de jungle dat voor het eerst in hun leven kennis maakte met een camera of een blanke mens. De schittering was volkomen, als in een droom of een waanvoorstelling.

Na het debacle van de derde Gang, het hoofdgerecht dat ter plekke al een bijnaam kreeg, namelijk de post-paëlla, werd de tafel weer afgeruimd door de obers en de dienstmeisjes. Het was een moment lang niet duidelijk of het Experiment wel zou voltooid worden, of nu al als geslaagd of mislukt zou worden beschouwd. Volgens het schema op de gracieus opgemaakte menukaart was het nu de beurt aan het dessert. Verantwoordelijk daar-voor was de businessman, A, vader van vier kinderen. Met de zure smaak in hun mondholte keken de andere Gasten reikhalzend uit naar de bevrijding, in de vorm van vijf verschillende nagerechten. Normaal gezien werd alles mooi gepresenteerd op een marmeren scho-tel, verdraaibaar, zodat iedereen kon meegraaien wat hem het beste aanstond. Maar het was de jongeman, de student, die voor het eerst aanstalten maakte om het elk bij één dessert te houden.

'Ik vrees dat ik allergisch ben voor kaneel,' zei hij bijna luchtig.

'Wat maakt dat nu nog uit?' vroeg een andere. 'Het is toch allemaal één pot nat.'

'Ja, maar het is de gedachte die telt,' hield de jongen vol.

'Waarom? Tien tegen één dat je het toch weer zult teruggeven, in een andere vorm.'

'Ik ben wie ik ben,' zei de jongen. 'Dat maakt me nu eenmaal tot wie ik ben. Dat is een gebrek. Die stank kan

wel veel teweegbrengen, maar het kan niet mijn eigen identiteit doen verstuiven.'

Daar zat klaarblijkelijk wel wat in. Er werd geknikt, er werd gemompeld en de schaal werd hier en daar zodanig gedraaid dat iedereen slechts één gerecht op zijn bord nam. Het leek bijna een ingestudeerd nummertje.

'Ik ben voor niets allergisch,' zei S, de gynaecologe. 'Maar ik ben gek op chocolade, dus als het niet geeft, dan neem ik enkel dat. Wat heb ik te verliezen, nietwaar?'

Zonder het te beseffen werd er zachtjesaan weer gegeten. Men speelde de ingrediënten naar binnen die hen het meest na het hart lagen.

'Moeten we eigenlijk niet de score bijhouden?' vroeg de bankanalist, alsof hij hoopte op een tien voor zijn eigen werk, aangezien niemand er nog leek mee in te zitten.

Het was de bedoeling geweest om na elke Gang een cijfer toe te kennen op het Rapport, een cijfer, niet alleen om het gerecht te beoordelen, maar ook de persoon die het gemaakt had, de chef, de gastheer of gastvrouw. Maar door alle tumult was men niet verder gekomen dan de tweede Gang (een enkel Rapport was zelfs onherkenbaar tot een slap vod getransformeerd doordat het was overspoeld door de kotsgolf tijdens de derde Act).

'Vergeten,' zei K, de kunstenares. 'Maar wat voor zin heeft het ook? Waarom moet alles altijd beoordeeld worden? Vandaag worden zelfs de criticasters en de recensenten gerecenseerd. Wat moeten we dan doen?

Wat wordt er van ons verwacht? De karaktertrekken beoordelen? Is dat de bedoeling van deze hele show? Zijn deze gerechten slechts een excuus, een reden op een eerste niveau, om op een meta-niveau eerder de mens achter het gerecht te veroordelen?'

'Het draait niet langer om wat we naar binnen spelen,' zei de arbeider in zijn eigen bewoordingen. 'En zelfs niet hoe we het naar binnen werken. Dat hebben we daarnet nog kunnen zien. Alles is verpakking geworden.'

'Oké,' zei de jongen, die zichtbaar niet wilde meegaan in deze redenering en dan maar de kant van het spel koos. 'Als ze het zo willen spelen, dan geef ik de chef van deze desserts een acht op tien. Acht en een half misschien, niet omdat het me smaakt, maar omdat zijn gezicht en zijn fijne computerhanden me toevallig aanstaan, en omdat hij beleefd en zakelijk spreekt, op het afstandelijke af, maar net niet te vertrouwelijk om opdringerig over te komen. De taal van een kennis, die nooit een vriend zal worden, maar die ik me wel zal blijven herinneren.'

'Waarom dan maar een acht en een half?' ging A even mee in het spel.

'Je verliest een half punt door de roos die op je schouders gaat liggen. Het lijkt zelfs van ver op ultradunne poedersuiker die men over een aardbei strooit. Dat is niets om je over te schamen want vele mensen hebben er last van, maar niemand in deze wereld kan dan ook tien op tien verwachten.'

Er werd plots een beetje gelachen. Maar boven-

al bleven ze eten en lepelen. Doorheen de materie en de ingrediënten die samen één grote onherkenbare en oninteressante massa waren geworden, vonden de vijf Gasten zich daar in alle gezelligheid bijna opnieuw uit. Ze hervonden elkaars identiteit en karakter. Door gaandeweg de stank te laten uitsterven en zich niet langer te concentreren op de ongemakken die de smaak in de weg stonden, vonden ze zichzelf weer. Hun contouren kwamen uit een nis naar voren, papieren poppenfiguurtjes die als het ware op voorhand allang waren uitgeknipt uit een krantenkatern, maar nu pas loskwamen en hun eigen leven gingen leiden.

'Ik weet niet wat de rest ervan vindt,' zei de jongen. 'Maar ik voel me opgelucht. En niet enkel door het resultaat van de derde Gang.'

'Je hebt gelijk,' zei een ander. 'We zijn wat we eten, maar we zien vooral onszelf in de kleine dingen die onder de bovenlaag verstopt zijn. Misschien is dat wel wat we verloren zijn geraakt door die allesomvattende en allesverterende stank.'

DE STANK

DIE ER ALTIJD AL WAS

"Where there is the stink of shit,
there's is the smell of being"
- - Antonin Artaud

Het kind van A en zijn echtgenote was niet het enige dat al stinkend ter wereld was gekomen. Het werd geregistreerd en ingedeeld in een groep van twintig andere baby's die overal ter wereld verder zouden worden bestudeerd. Een team van gynaecologen en wetenschappers had met de ouders de nodige afspraken gemaakt om het onderzoek te laten gebeuren.

'Ze gaan onze baby toch niet afpakken?' had zijn vrouw hem gevraagd na de tweede nacht toen de documenten waren opgestuurd ter ondertekening.

'Neen, natuurlijk niet, schat,' zei hij. 'Het maakt gewoon deel uit van een globaal onderzoek.'

'Waarom kunnen ze dat onderzoek dan niet hier uitvoeren?'

Hij vond haar onredelijk, op het panische en paranoïde af, maar weet het vooralsnog aan de naweeën van de bevalling. Een posttraumatische ervaring.

'Omdat alles hier stinkt en ze hier niet kunnen onderzoeken en of besluiten of hij uit zichzelf of onderworpen is aan….'

Ze schoot opeens uit haar slof en zei: 'Weet je waar ik eigenlijk eens niet meer wil over praten? Over die godverdomse klotestank. Hij was eerst de voorbode van een soort apocalyps, de stank van de ondergang, nu beginnen ze hem te betrekken op de mens...'

Hij dacht dat ze aan het ijlen was en over de Renaissance of de Verlichting zou beginnen, maar ze had het voornamelijk over zichzelf.

'Een geboorte. Hoeveel mensen zijn er in de geschiedenis al niet geboren? Dat is toch het begin? De meest wonderbaarlijke ervaring in een mensenleven. De reden van het bestaan, namelijk om het leven door te geven? Waarom *stinkt* het dan zo?'

'Schat,' zei hij, om haar vooral te kalmeren. 'Dat weten we nog niet met zekerheid en zelfs al komt het daarop neer, dan nog is het niets om ons over te schamen. Er is toch geen onderscheid meer. Het is allemaal één pot nat. Er is niemand of niets meer wat eraan kan ontsnappen.'

Op de derde dag kwamen ze de baby halen. Zijn echtgenote had verkregen dat ze erbij mocht blijven, tijdens de onderzoeken. Vlak na de geboorte waren er al stemmen die opperden dat deze ontdekking even groot was als de uitvinding van het wiel of het hiërogliefenschrift. Wat als...?

'Wat als de stank aanwezig was in de wereld en de natuur, maar dat de oorsprong ervan ligt... in de mens zelf?'

Er was bijna niemand die het hardop durfde te verklaren, en al zeker niet in de diverse praatprogramma's op radio en televisie waar sociologen, geschiedkundigen en biologen voortdurend met elkaar in de clinch gingen. Men zweeg er liever over, antwoordde niet op de gestelde vragen, als geoefende politici, of liep er met grote bochten omheen.

Tot één professor uiteindelijk geen blad voor de mond meer nam en ronduit zei waar het op stond: 'Het is een onmiskenbare vaststelling waar we niet om heen kunnen. De simpele vraag van de kip of het ei. Wat was er het eerst? Wel, die vraag kunnen we ook in deze kwestie toepassen. Wat was er het eerst aanwezig? De stank die bezit nam van de mens, of de mens die de stank verspreidde? De stank hangt misschien niet alleen aan elk lichaam, hij komt rechtstreeks uit het binnenste van de mens.'

'Wat een ordinaire beeldspraak en kleffe metafoor,' was het voornaamste contrapunt in de discussie. Het was ook een voor de hand liggende, bijna eendimensionale, betekenis.

A kwam na de eerste dag van onderzoeken in het ziekenhuis terug thuis, alleen. Hij zag het onopgemaakte bed waarin zijn vrouw zo lang had gelegen en waarin ze zijn vrucht had gebaard. De stank hing nog steeds in huis rond. Hij nam de vuile lakens van de matras en gooide alles in de wasmand. Het leek opeens veel geblaat voor weinig wol. De tranen schoten hem bijna in de ogen, toen hij de situatie zag: een ongelooflijke lichtheid trof hem en nam bezit van hem, bijna even sluiperig als de stank destijds. Was die stank dan zó belangrijk? Was ook de enige zin van het leven niet de dood zelf, het stoppen van het hart? Zie hier, hij had een vierde kind op de wereld gezet, meer niet. Hij was samen met zijn vrouw verantwoordelijk geweest voor een zoveelste schakel in een groter geheel dat al miljoenen jaren doorratelde. Waar zat zijn verdienste? Of beter nog: waar zat zijn waarde?

Terwijl hij tot dat besef kwam, leek de stank nog maar voor de helft aanwezig. Het denken, en meer bepaald het denken over de dingen waar men doorgaans niet over nadacht, had de stank naar de achtergrond gedrongen. Of kwam dat dan toch doordat hij alle vuil uit de kamer had geweerd? Hoe dan ook, hij trok voor het eerst sinds het laatste incident in de straat met de patrouillewagen zijn sportoutfit uit de kleerkast. Trok zijn nauwaansluitende plunje aan, ging op de trap zitten om zijn loopschoenen aan te doen, met een ongelooflijk nauwe precisie, de veters een voor een uit de gaatjes halend om ze nadien met sierlijke bewegingen van zijn pols, als een cellospeler, dicht te knopen. Het had iets definitiefs. Een besluitvorming, een statement. Toen hij opstond van de trap en de voordeur opende om te gaan trainen, wist hij dat hij nooit nog de marathon in New York zou lopen. Waarom zou hij ook? Hij had de stad niet nodig om te lopen; het stonk er en het zou er blijven stinken, ondanks de baby.

De stem van de professor bleef als een coach

door zijn hoofd galmen, zelfs toen hij al op weg was op zijn vertrouwde route door de brave burgerwijk: 'Misschien was het altijd al zo. Misschien was de stank al altijd aanwezig geweest. Sinds mensenheugenis, en was ze gewoon nooit eerder opgevallen. Dat moet ook zo aangezien ze gelinkt is aan de mens. Misschien kwam ze nu pas globaal tot uiting door een soort gemeenschappelijke waanzin of stress, een opeenstapeling, een sneeuwbaleffect dat op de duur niet meer te stoppen was. Het was genoeg dat iemand het opmerkte of zich eraan begon te storen om de hele boel in gang te zetten, de verbijstering over een fenomeen dat er altijd al was, maar waar niemand wilde of durfde over te spreken, zoals het verbreken van een stilte?'

De gedachte gaf A een extra boost en alsof hij de voorbije dagen alle energie had opgespaard, *vloog* hij werkelijk de straat uit. Hij raasde voorbij de tuinen en de huizen en omdat hij geen werkelijk doel meer had en New York van zijn kaart had geveegd, liep hij nog sneller. Natuurlijk lette hij niet meer op zijn ademhaling. Zijn meetapparatuur had hij opzettelijk thuis in de bovenste lade van zijn bureau laten liggen, zodat hij nu verplicht was om op zijn gevoel af te gaan. De weg die voor hem lag, was onbekend en zonder einde.

Hij sloeg opzettelijk een andere straat in, begaf zich op onbekend terrein, in de richting van de grote brug. En toch voelde hij zich gerust en opgewekt.

Vreemd, dacht hij, de gedachte om niet meer aan de stank te denken doet ze zelfs bijna helemaal verdwijnen. Was het dan toch allemaal niet meer dan een ingebeeld fenomeen?

Het idee trok hem wel aan.

Straks zal de stank helemaal verdwenen zijn omdat hij er niet meer aan dacht. Zoals soldaten destijds in de oorlog geen pijn meer hadden door ze te sublimeren naar iets anders. De witte, ijle wolken. Als ze hem allemaal gezamenlijk zouden verdringen, zou hij wel verdwijnen, gesteld dat hij er werkelijk is en was, wat ze nooit zouden weten.

De endorfines zetten hem aan het denken; zijn brein sloeg nog meer op hol dan zijn lichaam, het instrument dat hij dagenlang had verwaarloosd. Opeens kwam hij tot het besef dat hij vanavond misschien wel niet meer zou thuiskomen. Of hij liep rechtstreeks door naar het ziekenhuis om bij zijn vrouw en kind te zijn, of hij zou blijven lopen, tot aan de horizon. Hoe dan ook, de angst was weg, en daarmee was ook de stank opgelost in het niets. Hoe luider hij zuchtte en hoe meer adem hij uit zijn longen perste, hoe meer hij het gevoel had dat hij daarmee de stank bluste, wegjaagde. En het leek te lukken.

Maak ik dan deel uit van een uniek tijdsgewricht in de menselijke geschiedenis, dacht hij? Het moment waarop we tot de vaststelling kwamen dat er iets tegelijk was en iets niets was. Twee dingen die hetzelfde ding vormden. Een stank die we onbewust wisten op te roepen door ze te vrezen, door eraan te denken, als een slechte geest.

Hij had zo fel doorgelopen dat hij uiteindelijk toch even moest stoppen, al stond hij niet in New York. Hij keek om zich heen en merkte dat hij verloren was gelopen. Maar *happy* verloren gelopen. Hij herkende geen enkel huis of straat meer, maar wist één ding: hij stonk. Hij stonk op zijn eigen manier en het wonder geschiedde: hij rook zijn eigen zweet en lichaamsgeur weer. Zijn brein had hem gestimuleerd om datgene wat hem uniek maakte weer naar buiten te brengen, zijn eigen uitlaatgas. Zonder het zelf in de gaten te hebben, had hij de stank achtergelaten, of was hij, achter zijn rug om, een andere straat ingeslagen.

Ongelooflijk, dacht hij.

Hij verwelkomde de geur van zichzelf als een echte gastheer. Ging hij te ver als hij zei dat hij met dit zweet niet alleen zijn eigenheid, maar ook zichzelf had teruggevonden? Onderweg, op zoek naar het bekende, kon hij het niet laten om zijn neus onder zijn oksel te steken en alles op te snuiven.

Wat hem vooral bezighield en dwarszat, was dat het er altijd al geweest was, de doorbraak. Wat hij nu deed, had hij ook een week geleden al kunnen doen. Er was geen wereldlijke of natuurlijke openbaring aan te pas gekomen. Geen heldendaad, geen deus ex machina. Het had altijd al in zijn kunnen en mogelijkheden gelegen. Waarom had hij er niet eerder aan gedacht? Omdat de stank het verhinderde? De stank als verdoving. 'Nooit te laat om te leren,' zei hij tegen zichzelf.

Het was contradictorisch: het zicht op zijn kind, zijn stinkende baby die er niets kon aan doen aangezien het blijkbaar in zijn genen zat, had hem net bevrijd van de stank, en had hem zichzelf doen herontdekken. Beseffen dat iedereen, elke mens, ermee zat opgescheept, tevergeefs en ondanks alle goeie bedoelingen, had hem net onoverwinnelijk gemaakt. Iets heel abstracts als de stank had plaats moeten ruimen voor iets heel concreets als zijn bloedeigen kind dat lag te kronkelen van de opwinding. De stank, die er altijd al was, werd weer een gewone geur. Elke keer weer anders. Keer op keer.

'Wat ik wil, is dat jullie bij wijze van volgende opdracht een schets maken van een herinnering.'

Het was de eerste keer sinds lang dat K weer als K voor de klas stond. De nieuwe lichting stond te springen om aan de slag te gaan en hun eigen ideeën rond te spuien.

'Een herinnering?' vroeg een studente. 'Van wat? Uit mijn jeugd? School? Familie?'

'Ik wil dat jullie allemaal, elk op een eigen manier, een beeld schetsen van wat er zich gisteren op de binnenkoer heeft afgespeeld.'

Ze doelde natuurlijk op het levende standbeeld van de onbekende jongeling die zomaar uit het niets was opgedoken, net als de stank zelf.

'Een schets naar levend model dus,' zei iemand.

Het kon niet beter verwoord worden. Een levend model, letterlijk en figuurlijk.

'Ja, dat bedoel ik,' zei ze. 'Ik ben benieuwd naar het resultaat.'

Ze ging achter haar bureau zitten en deed verder niets, volstrekt niets. Ze wachtte tot ze aan de slag gingen en leunde achterover. Haar werk was volbracht.

Deze ochtend, voor haar vertrek, had ze haar eigen ultieme performance opgevoerd door de nieuwe reeks spuugschilderijen of 'kotskunst' te overgieten en te overladen met een lading benzine. Ze had er de hele nacht over nagedacht en was tot deze ene mogelijke conclusie gekomen. Ze moesten verbrand worden, net zoals ze ook tot stand waren gekomen. Ze streek een lucifer over het ruwe oppervlak van de opgedroogde kots en stak alles in vuur en vlam. Weldra kwamen de vlekken braaksel weer tot leven, golfden naar elkaar toe, vervreemdden weer van elkaar, gezichten in het vagevuur.

K had ernaar staan kijken, als een toeschouwer in een museum. Het enige wat nog ontbrak, was een hoofdtelefoon waarin een zachte vrouwenstem de nodige toelichting gaf. Het bleef maar branden; het was een oneindig ritueel, een cyclus die overging in een andere cyclus, maar uiteindelijk had ze bereikt wat ze wilde. Uit de smeulende as kwam de geur van doodgewone rook bovendrijven. Ze dacht aan Chinezen die zichzelf voor de ingang van het parlement uit protest in brand staken, als opoffering voor het hogere doel. Zo had ze ook deeltjes van zichzelf, van haar ziel, verbrand, om er definitief komaf mee te maken. De demonen waren doorverwezen naar de donkerste departementen van de hel. Weg ermee.

'Maar wat is het verschil tussen die herinnering en een gewoon levend model?' vroeg iemand toen duidelijk werd dat het niet zo evident was om aan het werk te beginnen.

'Denk aan het beeld,' zei K. 'Je zal het wel merken.'

De man was een ware openbaring geweest, althans voor haar. Zijzelf herinnerde zich nu nog heel levendig het moment toen het vuur op de doeken was gaan liggen, verslagen, en er alleen nog as overbleef. Ze had zichzelf in de as gelegd en uit de as was ze herrezen. Het had zelfs een heus mythisch karakter.

Toen ze hen daar zo zag zitten, de studenten, *haar* studenten, elk achter hun tekentafel, als destijds in de kleuterklas, wist ze dat ze allemaal hun eigen herinnering aan de stank zouden kunnen weergeven. Ze stond op en verliet haar lessenaar om een rondje te doen, hier en daar over een schouder mee te loeren, goedkeurend te knikken of hier en daar nog een verbetering toe te voegen.

In de gang hoorde ze op de radio dat ook de rest van de wereld vrede had genomen met de 'oplossing'. En daarmee was er ook geen reden meer voor de stank om te blijven rondhangen, en dus was hij op slag vervaagd en uiteindelijk zelfs vergaan. De draad werd weer opgepikt. Het nieuwsbulletin verkondigde als vanouds weer oorlogen, milieurampen en politieke beslommeringen die een week lang hadden stilgelegen.

'Men kan zich afvragen of de stank een vloek of een zegen was,' zei een politicus die in de studio was uitgenodigd om toe te lichten waarom er geen reden was voor de inwoners van een land om beschaamd te zijn. 'We zijn allen gelijk,' zei hij sloganesk. 'We hebben allemaal deel uitgemaakt van de stank, hebben ze allemaal gezamenlijk op gang gebracht, of eerder, aan het licht gebracht, maar dat is al zo sinds mensenheugenis. Er is hoegenaamd geen enkele reden om schaamte of spijt te voelen.'

Er was namelijk even de vrees dat mensen op straat elkaar zouden aanstaren zoals men een kreupele of een blinde zou aanstaren. Geen algemene paniek, maar collectieve schaamte.

'We hebben het onder controle nu,' werd gezegd. 'Het leven kan weer zijn gang gaan. Laat ons dit alsjeblieft beschouwen als de lijn, de overgang naar andere tijd, een andere levenscyclus. Denk aan de IJstijd en het uitsterven van de dinosauriërs, het einde van de oude Maya-kalender of het verdwijnen van een oud volk. Zo is het ook hier.'

K ging weer het leslokaal binnen. Ze was maar enkele minuten weggeweest, maar het leek nu al alsof al haar leerlingen op slag een generatie ouder waren geworden. Ze zou ze wellicht niets meer kunnen bijleren, al was dat misschien net wel de belangrijkste les die ze hen nog wilde meegeven, voor ze er zelf zouden moeten achter komen.

In het ziekenhuis zat S tegenover haar moeder die haar niet meer herkende. Met het verdwijnen van de stank waren ook haar zelfbeeld en luciditeit verdwenen. Terwijl iedereen druk in de weer was om de overwinning te vieren en de broeierige samenstelling van ziekenhuisgeur, plastic maaltijden en microben gretig op te snuiven.

'Ze weet niet meer wie ik ben,' zei ze tegen haar vader die een hand op haar schouder legde.

Ze begreep het niet. Net nu het zover was gekomen, was hij met geen stokken meer buiten te krijgen. Nu wilde hij er wel bij zijn, bij wat slechts overbleef van zijn echtgenote, alsof hij zich comfortabeler voelde in haar afwezigheid dan in haar aanwezigheid.

'Waarom blijf je?' vroeg ze. 'Moet je niet naar huis?'

'Je begrijpt het niet,' zei hij. 'Maar dat zal wel nog komen. Ik kan nu niet naar huis gaan. Zij is er niet meer. Als ik al die dagen geleden wel naar huis ben gegaan, dan was het om iets in stand te houden. Dan was het in de wetenschap dat ze er nog was, hier in het ziekenhuis. Maar nu moet ik hier blijven, om haar plaats in te nemen. Snap je, liefje?'

'Neen,' zei ze.

Ze zag alles wazig.

'Ik kan haar hier nu toch niet zomaar loslaten, laten gaan, als een vlieger in de wind of een ballon die een kind naar het heelal zou laten waaien. We vormden ons hele leven al één geheel, je moeder en ik. Zij is weg, maar ik niet, en door hier te blijven, in deze kamer, bij haar, blijven we één geheel, één entiteit. Ik ben de stoel en zij de poten. Ook op drie poten kan een stoel blijven staan.'

De kleren, met name het nachthemd, dat haar moeder de voorbije week had gedragen, wilde ze meegeven met haar vader.

'Hier, laat het maar schoonmaken. Thuis of in de wasserette.'

Maar ze zag aan de manier waarop hij het boeltje vastnam dat hij het nooit meer zou wassen. De stank was gedegradeerd tot een vernislaagje op het nachthemd, maar haar vader zou er zich zeker aan blijven vastklampen. De stank stamde nog uit de tijd, amper één dag geleden, toen ze er nog was, bij vlagen aanwezig.

S bleef staan voor haar moeder. Ze was, samen met de stank, uit haar lichaam getreden, en naar andere oorden vertrokken. Mijn God, straks kreeg ze nog heimwee naar de dagen van weleer.

Later die avond was ze aanwezig op een symposium in het auditorium van het universitaire ziekenhuis waar een paar gesprekspartners, gestuurd door een moderator, nu vanaf enige afstand de stank probeerden te vatten, te omschrijven.

'Volgens onze bevindingen was de stank niets meer, maar ook niets minder dan een samenstelling van verschillende geuren. De grootste algemene deler, zeg maar. Het is nu wel duidelijk en bewezen dat de geur uit ons kwam, de mensen.'

'Ik zou zelfs meer zeggen,' pikte een andere wetenschapper erop in. 'Wat mij betreft was hij zelfs ontstaan vanuit een verzameling van tegengeuren. Parfums, chemische middelen, verfsoorten, uitlaatgassen, allerlei andere stanken die zich met de jaren, met de decennia hebben opgestapeld en uiteindelijk hebben gebundeld tot één explosie. Om zich te wapenen tegen datgene waarvan ze eigenlijk zelf aan de oorsprong lagen, zonder het zelf te weten. De remedie was dus in feite de ziekte en omgekeerd, zoals u wilt.'

'De mens is een en al onwetendheid,' was het besluit.

❖

Het uitchecken uit het hotel waar T en D zich dagenlang hadden verscholen, verliep vlotter dan het inchecken. Met mild enthousiasme hadden ze hun koffers weer gepakt en met opzet het raam van hun slaapkamer niet opengezet, de stank, hun gezamenlijke ontmaagding als een zeldzaam specimen in een luchtledig labo bewarend. Ze voelden zich voldaan, na al die dagen in bed te hebben gelegen, zoals ook John Lennon en Yoko Ono hadden gedaan, maar hier betrof het geen protest tegen oorlog en voor vrede, hier hadden ze van een noodzaak een deugd gemaakt en hoogstens geprotesteerd tegen de laksheid en lafheid van de mens.

'Waar ga je heen?' vroeg D toen ze allebei bij de balie stonden te wachten om de rekening te betalen. Een kleine tol voor een groot gewin. 'Weet je al wat je gaat doen?'

'Ik denk dat het eerst toch Afrika wordt,' zei T die betaalde en zijn krabbel zette. 'Ik zal ergens moeten beginnen.'

Maar wat hij bedoelde was: ergens herbeginnen. Nu de stank was opgegaan in de zucht van verzadiging die ze allebei hadden gelaten toen ze voor het eerst in hun leven waren klaargekomen, was ook hun prille liefde al verdwenen. Maar dat was niet erg. Ze kwamen hun gemaakte afspra-

ken na en handelden de hele handel af als vol-
wassenen, net niet met een handdruk, maar met
de wetenschap dat ze elkaar misschien, heel misschien ooit nog eens zouden terugzien op een andere 'vergadering'. In het andere geval zou hun
secretaresse de zaak wel besluiten. Het dossier
verticaal klasseren.

'En jij?' vroeg hij.

'Ik ga eerst terug naar huis,' zei ze. 'Mijn ouders zullen wel doodongerust zijn geweest.'

Ze wierpen nog een laatste blik op de trap en
de troosteloze fauteuil in de lobby van het aftand-
se hotel, namen afscheid van de plaats waar ze
voor het eerst hadden kennisgemaakt met het onbekende. Dit was geen cocon geweest waar twee
rupsen opeens als vlinders door het raam naar
buiten vlogen, maar meer een web dat twee spin-
nen achterlieten om elk hun eigen weg te gaan. Ze
hadden elkaar niet opgegeten, het web ook niet
vernield, maar gelaten zoals het was.

'Ga je me schrijven?' vroeg ze overbodig.

'Wat denk je? Wil je dat?'

'Neen, misschien liever niet,' zei ze.

'Dat dacht ik al.'

'Ik zal dit nooit vergeten,' zei ze zonder hem
een kus te geven.

'Ik ook niet,' zei hij. 'We hebben het gehad en
we hebben het samen beleefd. Dat is meer dan
wat de meeste mensen erover kunnen zeggen.'

'Wat ga je daar doen in Afrika? Ziekenhuizen

en scholen bouwen?'

'Het gerucht gaat dat ze daar het minst van al last hebben gehad van de stank,' zei hij met zijn koffer in de hand, klaar om rechtstreeks op een vliegtuig te stappen.

Ze namen afscheid op de dijk en liepen elk een andere richting uit, zonder nog om te kijken naar elkaar en naar de bron van de stank. De waterput waar ze hun wensen in de vorm van muntstukken hadden ingegooid. T werd overvallen door een karrenvracht aan andere geuren die hij al die tijd niet had geroken en was vergeten. Hij stond al in het station te wachten op de trein toen hij dacht: de stank bestaat niet meer. Heeft hij überhaupt wel ooit bestaan? Of heeft hij altijd al bestaan?

Hij zat al neer bij het raam en zag het landschap aan zich voorbijgaan toen hij dacht aan het overgeblevene, de rest, de 'toestand' in het kamertje dat hij en D hadden gemaakt en achtergelaten.

Het zou nooit meer zo mooi worden.

Na de vijfde en laatste Gang - acht soorten koffie, van Braziliaanse espresso tot Italiaanse nespresso, en bijhorende likeur en pralines - kwam het Experiment tot een einde. Verdrongen door de straffe tegenaanval van de zwarte bonen die al sinds mensenheugenis meegingen, trok ook de Stank zich terug in een hoekje, tot hij al snel van de eerste mogelijkheid profiteerde om door een kier van de deur naar buiten weg te vluchten. Hij wachtte op het juiste moment, toen de bedienden pro forma nog met de laatste schaal snoepjes kwamen aandraven, en kroop langs de deurlijst omhoog, als een giftige klimplant, om vervolgens achterwaarts aan de andere kant van de deur weer uit te komen. Hij sleepte zich voort, de stank, zichtbaar vermoeid en aangedaan door de nederlaag, zonder zijn tegenstanders en overwinnaars de hand te schudden. Neen, als een slechte verliezer koos hij het hazenpad, stiekem, het feest achter zich latend dat nog maar pas was losgebarsten.

De Gasten stonden op van tafel en draaiden zich zelfs niet één keer om, om de ravage te aanschouwen.

'Ik hoop dat we elkaar niet al te snel weer tegenkomen,' glimlachte de bankanalist toen hij de hand drukte van de arbeider.

'Het was me allesbehalve een genoegen,' werd er gelachen.

Mannen en vrouwen namen afscheid van elkaar, allen in de zekerheid dat ze elkaar nooit meer zouden terugzien. Ze gingen nog niet zo ver om elkaar bij de uitgang in de lobby als honden te gaan besnuffelen, maar er was wel degelijk een grote opluchting toen ze elkaar lieten voorgaan op de steile trap naar boven, weg uit de bunker, naar het licht, naar de buitenwereld.

En zo kwamen ze alle vijf achter elkaar uit de grond naar boven, S, T, A, N, K, en gingen elk hun eigen weg.